D1098117

MILLE CHEMINS OUVERTS

JULIEN GREEN

MILLE CHEMINS OUVERTS

BERNARD GRASSET ÉDITEUR

61, RUE DES SAINTS-PÈRES

PARIS VIᵉ

IL A ÉTÉ TIRÉ DE CET OUVRAGE, LE SOIXANTE-
DIXIÈME DE LA NOUVELLE SÉRIE DES CAHIERS
VERTS, MILLE SEPT CENT QUATRE-VINGT-NEUF
EXEMPLAIRES DE LUXE, A SAVOIR : CINQUANTE-SEPT
EXEMPLAIRES SUR VERGÉ DE HOLLANDE, NUMÉRO-
TÉS HOLLANDE 1 A 40 ET HOLLANDE I A XVII,
CENT SOIXANTE-SEPT EXEMPLAIRES SUR VÉLIN PUR
FIL NUMÉROTÉS VÉLIN PUR FIL 1 A 150 ET VÉLIN
PUR FIL I A XVII ET MILLE TROIS CENT SOIXANTE-
CINQ EXEMPLAIRES SUR ALFA MOUSSE DES PAPE-
TERIES NAVARRE, NUMÉROTÉS ALFA 1 A 1350,
ET ALFA I A XV, PLUS DEUX CENTS EXEMPLAIRES
SUR ALFA MOUSSE, HORS COMMERCE RÉSERVÉS A
LA PRESSE, NUMÉROTÉS S. P. 1 A S. P. 200. L'EN-
SEMBLE DE CES TIRAGES CONSTITUANT L'ÉDITION
ORIGINALE.

LE CHEMIN MYSTÉRIEUX VA VERS L'INTÉRIEUR.

NOVALIS.

« Demain au front ! » Cette rumeur circulait du matin au soir pour être démentie
le lendemain. Le cœur nous en battait, parce
que nous n'avions pas l'idée la plus vague
de ce que pouvait être le front, et cela faisait vingt lettres dans lesquelles vingt garçons
d'Amérique annonçaient à leurs familles la
nouvelle que la censure caviardait vingt fois.
Nos voitures d'ambulances attendaient pa-
tiemment le long de la rue principale de
Triaucourt, et peu à peu l'ennui nous démo-
ralisait.

Ces jours comptèrent dans ma vie. J'avais
quitté mes camarades de rhétorique pour me
trouver au milieu d'un nouveau groupe de
garçons à peine plus âgés, mais bien différents. Leur langage n'était pas le même. Ils
parlaient ouvertement de leurs bonnes fortunes parisiennes ou de leurs villes natales
qu'ils ne cessaient de regretter, or les femmes qu'ils avaient eues ne m'intéressaient
pas et j'ignorais à peu près tout du pays

dont ils vantaient le charme et surtout, je dois le dire, le confort. Ils étaient tous en effet du Nord ou de l'Ouest et j'étais le seul à pouvoir me dire du Sud. J'étais de plus le seul catholique. Quand, de questions en questions, ils apprirent que, né en France, à Paris, la ville du plaisir, la capitale de tous les péchés, je n'avais jamais mis le pied aux Etats-Unis, ils multiplièrent les interrogatoires, mais je ne comprenais rien à leur curiosité, car ce qui leur paraissait anormal dans mon cas, je le trouvais si naturel que je n'y songeais pas.

Presque tous venaient de grandes universités et parlaient correctement, bien qu'ils n'eussent pas l'accent auquel j'étais accoutumé, et comme ils voulaient se croire soldats, puisqu'ils portaient un uniforme, ils se pensaient tenus de blasphémer, ce dont je conçus aussitôt une horreur que je n'ai pu vaincre, même aujourd'hui. Un seul d'entre eux faisait exception, qui se destinait au pastorat dans l'église presbytérienne. C'était un grand garçon mince, au visage sérieux, qui se nommait Phinney. Un jour de pluie, il me trouva assis dans mon ambulance, en train de lire la Bible de Crampon. Il fumait une cigarette américaine dont l'odeur délicieuse me transporta dans un monde où je voyais des gens en train de boire du champagne. « Le diable... », pensais-je vaguement. « Qu'est-ce que tu lis, Green ? » « La Sainte Bible. »

« En français ? » « Oui, en français. »
« Catholique, hein ? » Pour toute réponse,
je montrai fièrement à l'hérétique la petite
plaque d'aluminium que je portais au poi-
gnet et sur laquelle j'avais gravé avec la
pointe d'un canif : « Julien Green, catholique
romain. » Cette plaque, nous en avions tous
reçu une, rue Raynouard, avec les instructions
nécessaires, car, nous avait-on dit, si vous
êtes tués, il faut bien qu'on vous identifie.
Si vous êtes tués... Quelle immense bêtise !
Il était impossible que je sois tué, mais je
voulais qu'on sache bien que j'étais catholique. Phinney sourit avec indulgence. En
un quart d'heure, il avait appris tout ce qu'il
voulait savoir, c'est-à-dire que j'avais la foi,
que je voulais être religieux et que, par dessus le marché, j'étais vierge. Cela, il n'en
revenait pas. Personne n'en revenait, car tous
finirent par le savoir. Un Parisien qui n'avait
jamais touché à une femme, c'était à peine
croyable. Alors, et Montmartre, et la corruption bien connue des habitants de la grande
Babylone ? Je les regardais avec étonnement. « Ce n'est pas possible, dit l'un d'eux.
Boy, tu ne sais pas ce qui est bon. » D'un
violent coup de coude, Phinney le fit taire.
    Ces choses qui me reviennent à l'esprit
après tant d'années et avec une telle pré-
cision, je ne puis m'en souvenir sans tristesse. Comment ne verrais-je pas qu'alors je
valais mieux ?

J'avais oublié ce que j'avais fait à Gênes. Toute ma religion m'était revenue, la ferveur, les élans, la haine du mal, c'est-à-dire de l'impureté. Il me semble que d'un seul coup mes trésors m'étaient rendus au contact des protestants. J'aurais voulu qu'ils m'égorgeassent, pour la foi. J'imaginais des choses insensées, mais ils n'avaient pas le moindre désir de m'égorger. Bien au contraire, ils me témoignaient tous une amitié désarmante, ils passaient sur tout : le Sud, l'Eglise romaine, ma scandaleuse ignorance des choses de la vie, et me considéraient comme un enfant égaré parmi des hommes, dans un service d'ambulances où il n'avait que faire. Je ne parlais guère, mais répondais à toutes les questions avec une sorte de candeur qui provoquait, je le voyais bien, la stupéfaction : j'étais catholique depuis un an, ayant abjuré l'hérésie de Luther; j'étais du Sud de toutes les manières possibles et n'avais pas une goutte de sang du Nord dans les veines, et la guerre de Sécession, la Guerre, nous aurions dû la gagner, parce que nos généraux valaient bien les vôtres et nos troupes étaient aussi braves, mais vous aviez la supériorité numérique. Un jour, un camarade juif me prit à part. Il s'appelait Heiden. « Qui t'a raconté tout cela sur la guerre ? » « Ma mère. » « Elle n'aurait pas dû. Il faut oublier. » « Nous n'oublierons jamais. Ce n'est pas vrai que nous nous

sommes battus pour l'esclavage. Nous avions
raison. » « Il faut oublier. Nous sommes tous
américains. » « Oui, mais nous avions raison
et nous aurions dû gagner. » Heiden hochait
la tête. « Un jour, tu viendras chez nous.
Tout ce qu'il y a de bon sur cette terre, nous
l'avons. » Je l'écoutais en silence, un peu in-
crédule, mais tant qu'il ne parlait pas de la
Guerre, j'étais tranquille.

★

A Triaucourt, j'aimais Dieu. J'avais le sentiment de me blottir contre lui. Si ces mots
semblent ne rien vouloir dire, c'est que je
cherche à dire des choses qui ne sont peut-
être pas explicables. Je n'ai pas souvenir
d'être allé à la messe, sans doute parce qu'on
ne nous permettait pas de dépasser certaines
limites au-delà desquelles se trouvait l'église,
mais comme nous pouvions nous occuper
comme bon nous semblait, en attendant des
ordres qui ne venaient pas, j'allais dans un
petit pré où croissait un bel arbre et grimpais jusqu'aux branches les plus basses. Là,
comme dans un fauteuil un peu dur, je passais de grandes demi-heures à réfléchir.
L'église ne devait pas être loin, car le

dimanche, j'entendais distinctement le chant des vêpres. Jamais je n'oublierai un jour d'été où le *Dixit Dominus* parvint jusqu'à moi dans un ciel d'un bleu éclatant, par-delà des vergers. « ... *sede a dextris meis...* » Il y avait tant d'assurance et d'allégresse dans ces paroles et cette musique que j'eus l'impression d'être arraché au monde. J'avais entre les mains un petit missel de poche que mon père m'avait donné le jour de mon départ et le cœur me battait d'une joie mystérieuse. Etait-ce vraiment une joie chrétienne ? Je ne sais. J'étais immodérément heureux d'être en vie et quelque chose me soulevait comme une main puissante soulève un chaton. L'image peut paraître bizarre. Pourtant elle dit bien ce que je veux dire. Je n'ai jamais été ivre, mais il me semble que ce doit être une sensation analogue.

★

Quelques jours plus tard, nous quittâmes Triaucourt pour un village dont j'ai oublié le nom. Nous étions logés dans une grande ferme où nous nous ennuyions, mais il fallait attendre des ordres. Attendre, il me semble que ce mot résume tout un aspect des guerres de tous les temps, et attendre

peut être une sorte de supplice. Je me souviens qu'on me faisait passer matin et soir,
dans mon ambulance, entre deux rangées de
bâtons verticaux, dans un sens, puis dans
l'autre, comme à Moulin-de-Meaux, et si peu
doué que je fusse, j'apprenais à conduire.

Je me suis quelquefois demandé pourquoi
on nous avait envoyés là, alors que notre
destination finale était Clermont-en-Argonne,
mais j'ai l'impression qu'on ne savait que
faire de nous et qu'on nous dirigeait de
côté et d'autre, en espérant qu'une idée vien-
drait à l'esprit de quelqu'un. Quoi qu'il en
soit, vers la fin du mois d'août, nous nous
trouvâmes installés dans la grande et belle
maison d'un notaire de Clermont. Je ne sais
où était le notaire et la maison était vide.
Notre dortoir, au premier étage, donnait
sur une magnifique terrasse plantée d'arbres
et rien ne me semblait plus paisible que la
vue qu'on avait des grandes fenêtres : au-
delà d'une vallée, des collines boisées qui
devenaient bleues vers le soir. Notre chef
nous avait dit que nous n'étions plus très
loin du front, mais ici la présence de la
guerre ne se faisait pas sentir.

Il y avait cependant quelques soldats français en bleu horizon qui avaient été attachés
à notre section et il aurait fallu être aveugle
pour ne pas voir que cette affectation était
pour eux une aubaine. L'un d'eux m'est resté
dans la mémoire à cause de quelque chose

qu'il me dit. C'était un gros garçon aux yeux
doux qui travaillait avant la guerre dans une
usine. Il parlait de femmes avec certains de
mes camarades et se laissait aller à des confidences que je trouvais horrifiantes. Je me mis
en tête qu'il ne croyait pas en Dieu. Un soir
que je lisais ma Bible dans un coin de la salle
à manger, il s'assit près de moi et me demanda
poliment si « on pouvait voir le beau livre. »
Je le lui mis sous le nez avec zèle et il en
tourna les pages d'un air déçu. « Y a pas
d'images » me dit-il avec un sourire. Je
m'attendais à des blasphèmes et préparais
déjà mes réponses. Sa remarque me prit de
court et je gardai un silence que je me re-
prochai ensuite, car je me dis que j'aurais
dû lui expliquer ce que je croyais, mais la
honte et le respect humain m'avaient fermé
la bouche. J'en éprouvai une sorte de douleur
comme d'un vrai péché et il me sembla que
j'avais renié le Christ comme Pierre devant
la servante. Quand j'étais sûr que personne
ne se trouvait au dortoir, j'y montais par
un désir de solitude.

★

Nous avions rangé nos ambulances sous
les arbres de la grande terrasse de manière

à les cacher à l'ennemi, mais celui-ci finit
par nous découvrir et il arriva un jour que
des avions allemands furent signalés au-dessus de Clermont. C'était un peu avant l'heure
du déjeuner et j'étais en train de lire seul
au dortoir. J'entendis quelqu'un crier :
« Tous à la cave ! » et allai jeter un coup
d'œil par la fenêtre. C'est alors que ma conduite devint inexplicable. « Tous à la cave ! »
me parut incompréhensible. Si c'était un
ordre, il ne pouvait s'appliquer à moi. J'avais
pourtant l'obéissance dans le sang, mais descendre me fit l'effet d'une chose impossible.
Si je descendais, je ne croyais pas en Dieu,
puisque je savais qu'il me protégeait et que
rien au monde ne pouvait m'arriver. J'avais
même un tel sentiment de sécurité dans ce
dortoir vide que j'aurais cru braver le Ciel
en m'éloignant de là. Des explosions sourdes
se firent entendre assez loin de la maison.
Je me mis à genoux, récitai une prière et
m'assis sur mon lit. Environ dix minutes
plus tard, les voix de mes camarades sur la
terrasse me firent comprendre que l'alerte
était passée et je descendis.

Aucune question ne me fut posée. On ne
faisait pas attention à moi. J'appris qu'il
s'était passé quelque chose de si fâcheux que
tout le monde en était troublé. Un garçon
de Chicago avait été pris d'une crise de
nerfs pendant l'alerte et il avait fallu l'isoler
dans une cave plus profonde que les autres.

« Il a eu peur, murmura quelqu'un, on ne pourra pas le garder. » Ce jour-là, le chef vint vers moi et tortillant le bout de sa petite moustache d'un air féroce, il me dit : « Vous allez me rendre un service. Vous allez prendre Untel dans votre ambulance et vous le mènerez à la gare. Après quoi, vous reviendrez ici. »

Je connaissais mal l'Untel en question. On me disait de lui qu'il fumait trop. C'était un petit homme noiraud aux yeux inquiets, au menton bleu. Ses camarades lui dirent au-revoir d'un air gêné et il monta à côté de moi dans mon ambulance. Je lui parlai et il ne répondit pas, il paraissait sur le point d'éclater en sanglots. A la gare, je ne sais s'il y avait un train ou un camion, mais je restai un instant avec le garçon. Il évitait de me regarder et je me mis à lui dire n'importe quoi, des futilités qui sans doute venaient à contre-temps, car la vie est malicieuse et cruelle, mais j'avais honte de la manière dont on lui avait dit au revoir. J'aurais dû le prendre dans mes bras devant les soldats qui se trouvaient là, mais j'étais timide. Le moment venu de nous séparer, je lui serrai la main en souriant, ma charité n'allant pas plus loin.

Lorsque je revins à la maison, je trouvai notre chef Mr. Ware (que les Français appelaient Mistaire Ouaire) assis de côté à un bout de table dans le réfectoire. Presque tous mes camarades étaient là aussi, mais dans le fond de la salle, et j'eus l'impression qu'il leur avait parlé. Il me demanda si j'avais bien conduit Untel à la gare et comme je lui dis que oui, il me fit un petit sourire de tigre et dans un anglais un peu étudié, il articula ces mots que je n'ai pas oubliés : « Permettez-moi de vous adresser mes félicitations les meilleures. »

Ce fut alors qu'une phrase se présenta à mon esprit et il me sembla qu'elle dansait devant mes yeux en lettres fulgurantes, en même temps qu'une voix intérieure me criait : « Dis-le ! Dis cela à cet homme ! » J'avais le temps de la dire. Mr. Ware attendait quelque chose. « Je n'ai rien fait qui mérite vos félicitations. » Cette phrase, je ne la dis pas. Elle me resta dans la gorge, parce que j'avais peur. Tout à coup, j'en avais la révélation : je n'avais pas peur des bombes du Taube allemand, parce que j'étais sûr que rien au monde ne pouvait me toucher, mais j'avais peur des hommes, peur de provoquer leur colère, j'avais peur de notre chef. Sans répondre, je le saluai et dans le plus grand silence me dirigeai vers mes camarades. Il y eut une ou deux secondes d'immobilité complète, puis la voix sèche de Mr. Ware déchira l'air : « C'est bien. Vous pouvez tous vous retirer. »

J'eus beaucoup de peine à me faire à cette idée que j'avais tremblé intérieurement devant un homme, alors que Dieu, pensais-je, m'avait dit de parler hardiment. A l'extérieur, rien n'avait changé. J'étais le même aux yeux de tous, le garçon un peu naïf, un peu désarmé, sur lequel il fallait veiller tant soit peu, sans en avoir l'air, mais quelque chose s'était passé en moi. J'eus de nouveau le sentiment d'avoir trahi le Christ, parce que le Christ était avec le garçon que j'avais mené à la gare. Cela me fit souffrir et, si bizarre que cela paraisse, me fait souffrir encore quand j'y pense. Personne ne parla plus de l'absent qui retournait chez lui déshonoré. Sa voiture fut mise de côté. On allait en avoir besoin dans peu de temps.

★

A tour de rôle, on nous envoyait à des postes de secours situés un peu en arrière du front. Là, nous passions la nuit et la journée suivante à attendre, le cas échéant, des blessés que nous menions ensuite à l'hôpital le plus proche. En général, il n'en venait pas, le secteur où nous nous trouvions étant relativement calme. Quand arriva mon tour de partir, je ne tenais pas en place d'impatience. Je me figurais que nous allions enfin voir les tranchées dont on nous parlait depuis si longtemps et quelle belle lettre alors je pourrais écrire à mon père ! Mais rien de tel ne se produisit.

Nous étions deux par ambulance. L'un conduisait à l'aller, l'autre prenait sa place au retour. Il se trouva que cette fois-là, je fus assigné à la voiture d'un garçon que j'appellerai Earle. Nous ne nous étions jamais parlé. Ce n'était pas que je n'en eusse le désir, mais il m'intimidait. Il avait un beau visage sur lequel ne se lisait que l'ennui, et la nature de cet ennui ne faisait aucun doute dans l'esprit de personne, pas même dans le mien. Je savais, en effet, comme tout le monde, qu'Earle ne pensait qu'aux jolies femmes de Paris. Il avait la réputation d'être un grand débauché et un irrésistible séducteur. Cela lui faisait une sorte de gloire qui inspirait le respect. Pour ma part, je ne savais que penser de lui. Sans doute, c'était un pécheur qui allait droit à sa perte. Par ailleurs, je ne pouvais le voir sans me ressouvenir de Boccace et de la bibliothèque de M. Kreyer. Je serais bien hypocrite si je ne disais pas que cela m'était plutôt agréable. Il flottait autour d'Earle je ne sais quoi de mal et de séduisant, et j'avais beau faire, j'étais sensible à ce charme bizarre. « Peut-être, me disais-je, va-t-il me parler de Paris. Alors, je n'écouterai pas, mais peut-être m'en parlera-t-il malgré moi. »

Ce fut lui qui devait conduire à l'aller.
Quand je pris place à sa gauche (nos voitures étaient faites ainsi) et qu'il vit le compagnon qu'il allait avoir, l'enfant de la section et pour dire les choses comme elles sont,
le puceau, il me lança un regard indescriptible, mais qui clairement voulait dire : « Il
ne manquait vraiment plus que ça ! »

Nous sortîmes de Clermont et traversâmes
en silence des villages déserts, puis des bois,
et vers la fin de l'après-midi, nous entrâmes
dans une des plus belles forêts qui puissent
se voir. Le chemin était fort mauvais et nous
sautions un peu. J'observais sans ouvrir la
bouche le profil boudeur de mon camarade
sous la bourguignotte, car nous portions, en
effet, le casque bleu des soldats. Earle ne
desserrait pas les dents et regardait droit
devant lui.

Je n'ai conservé du poste de secours qu'un
souvenir confus. Il me revient seulement qu'il
y avait un assez grand nombre de soldats
marchant sur des caillebotis, entre des arbres
gigantesques. Un peu partout, des trous d'obus
et de la boue, mais l'endroit me parut malgré
tout d'une beauté féerique. Je regrettai seulement qu'il y eût tant d'arbres coupés en
deux comme d'un coup de hache. Un sous-
officier venu à notre rencontre nous dit que
de temps en temps il tombait des obus et
qu'alors nous ferions bien de nous coucher
à plat ventre, si nous nous trouvions dehors.

Il nous indiqua aussi l'abri où nous devions passer la nuit. C'était une sorte de cave creusée dans le sol avec deux piliers de bois pour soutenir le plafond et deux lits munis d'une paillasse. Une lanterne était posée sur le sol entre les deux lits.

Après dîner, nous nous couchâmes. J'avais sorti Crampon de ma musette et j'essayai de lire, mais rien à faire. La lanterne éclairait mal et il aurait fallu la poser sur une table, or il n'y avait pas de table. Ce fut alors que le démon m'inspira de parler à Earle qui venait de se glisser sous sa couverture. « Dis donc, Earle, tu aimes Paris ? » Un bref grognement fut la réponse que j'obtins. « Tu sais, poursuivis-je, je suis né à Paris, et même, j'y ai passé toute ma vie. » « Oh, *kid,* tiens-toi tranquille. Tiens, dors. » Je me mordis les lèvres. « Si nous voulons dormir, il va falloir éteindre cette lanterne. » « Ah, non, par exemple. » « Pourquoi pas ? » « Tu verras assez tôt. Dors ! »

Me glissant à mon tour sous ma couverture, je ramenai celle-ci par-dessus mon oreille gauche et me mis à dire mes prières tout bas, car dire mes prières à genoux et tout haut devant Earle, ça, je ne le pouvais pas. Presque aussitôt je m'endormis et ce ne fut qu'un moment après que j'entendis un grand bruit et Earle qui blasphémait horriblement. « Ça y est, criait-il, ces salauds ont renversé la lanterne. Quel pays ! » J'ouvris

les yeux. Nous étions dans une obscurité profonde. En même temps, je perçus autour de
mon lit le bruit d'une galopade furieuse et
de petits cris désagréables. Je me rendormis
aussitôt, mais à l'aube les cris et la galopade
me réveillèrent et je vis dans la lueur qui
passait sous la porte quatre ou cinq rats qui
se poursuivaient. Ils me parurent gros à peu
près comme de petits chiens et je compris
que la lanterne avait été laissée allumée pour
les tenir en respect, mais c'était bien mal
connaître les rats de la forêt d'Argonne. Avec
quel dédain ils l'avaient renversée, notre
lanterne ! Du coup, je me couvris entièrement la tête de ma couverture et me rendormis.

Le lendemain de ce jour-là, qui fut sans
autre incident, nous fûmes de retour à
Clermont.

★

Des lettres m'arrivaient de Paris. Une de
mon   père,   pleine   de   recommandations
(« montre-toi bien obéissant »), une de ma
pauvre sœur Retta qu'on venait d'opérer et
qui trouvait le moyen de me donner toutes
les petites nouvelles de la famille sur un ton

farceur propre à m'égayer avec, en post-scrip-
tum, cette phrase qui me parut mystérieuse :
« Je suis bien certaine que tu seras brave. »
Elle ne savait pas, comme moi, que rien ne
pouvait me toucher et que je n'arrivais même
pas à imaginer la peur physique, par exemple
celle du garçon qui avait eu une crise de
nerfs dans la cave. Ma peur était d'une autre
sorte. Je tremblais devant Dieu, de là cette
espèce de panique devant le péché, et je
tremblais, comme on l'a vu, devant certains
hommes. Pourquoi ? Parce que d'une manière que je pouvais comprendre, ces
hommes manifestaient le vouloir de Dieu,
soit qu'il fallût leur obéir, soit au contraire,
les contredire et les combattre. Là commen-
çaient mes difficultés, car j'aurais préféré
me jeter sur eux et les frapper de toutes mes
forces plutôt que de les contredire et de
discuter, parce que la violence de ma nature
était telle que les paroles que j'aurais dû
prononcer s'étouffaient dans ma bouche et
que ne me sentant plus maître de moi, j'avais
peur de ce que ma langue pouvait dire. Je
n'avais pas la présence d'esprit nécessaire
pour laisser tomber avec une apparence de
politesse des phrases à la fois blessantes et
définitives. Je me sentais inférieur à ceux-là
mêmes que mon orgueil plaçait au-dessous
de moi. Ils savaient répondre. Moi, non. J'avais
peur d'eux et de moi. Un meurtrier dort au
fond de nous-mêmes. C'était de lui que j'avais

peur. Ma douceur ne s'expliquait pas autrement. Je dévorais mes colères. La fureur qui si souvent bouillonnait en moi rejoignait sans doute une faim sexuelle qui ne devait se manifester que beaucoup plus tard — et me voici loin des lettres que je recevais. Il y en avait aussi du Père X., pleines de sollicitude, j'en suis sûr, mais illisibles. Les mots : *communiez-vous ?* se détachaient cependant. Or, je ne communiais pas. S'il y avait un aumônier, je ne l'avais pas vu. Là où nous étions, les églises, le plus souvent à ciel ouvert, demeuraient vides. Enfin, il y avait un petit mot de Frédéric qui, d'une écriture virile, exprimait des sentiments tricolores. Je lus et relus ces lignes. Il m'appelait Julien.

Un soir, après dîner, Heiden le Juif me prit à part et me demanda de le suivre sur la terrasse. Il faisait une nuit splendide, toute pleine encore des odeurs de l'été et je me félicitais de l'idée qu'avait eue mon camarade, quand il me dit : « Ecoute. » Nous demeurâmes immobiles un instant. « Un orage », murmurai-je. « Non. Le tonnerre cesserait de temps en temps. Ce bruit ne cesse pas. » C'était, en effet, une sorte de roulement sourd et lointain qui ne s'arrêtait pas. « C'est Verdun », fit Heiden. Ce nom à la fois sinistre et fascinant me fit tressaillir. Là, j'aurais eu peur, je le savais, là, mes entrailles se seraient liquéfiées comme celles du roi David dans les psaumes. Ver-

dun, c'était l'enfer et ce que j'entendais de
si loin, c'était l'abominable tintamarre de la
mort, la mort de presque tout le monde, le
grand trou noir où s'engloutissaient les forces
de deux pays. Je ne pus dire un mot et au
bout d'un petit moment, nous rentrâmes.
Qui était brave sur la terre ? Les hommes
qui faisaient semblant et qui avaient peur.
Si seulement ce bruit pouvait s'interrompre
une heure... Mais il continua pendant plusieurs jours.

★

Un soir que nous étions aux Islettes (ainsi
se nommait cette partie de la forêt), les obus
se mirent à tomber autour de nous. Je me
trouvais dehors avec mon compagnon et me
couchais à plat ventre dans les feuilles mor-
tes chaque fois que j'entendais le bruit aver-
tisseur. J'avais appris à distinguer l'espèce
de spirale sonore que décrivait dans le silence
l'obus de 150 et le petit sifflement cruel et
joyeux d'un autre obus qu'on disait plus
meurtrier. Quoi qu'il en soit, nous ne per-
dîmes pas de temps à gagner notre abri et
dormions déjà quand un soldat vint nous
dire qu'il fallait nous rendre immédiatement

à un autre poste de secours pour y chercher un blessé. Le bombardement avait presque cessé et je courus à l'endroit où nous avions laissé la voiture.

Le matin même, je l'avais lavée à grande eau, la débarrassant de tout un revêtement de boue qui la rendait informe. Une petite lampe électrique au poing, j'allais et venais entre les arbres. « Où est-elle ? » criai-je à mon compagnon. « Je ne sais pas. On a dû la prendre. » Tout à coup il poussa un cri, et me désignant les arbres il me montra ce qui restait de notre voiture. Frappée par un obus, elle avait simplement volé en éclats qui s'étaient logés au petit bonheur dans les branches. « Mais je venais de la laver ! » m'écriai-je (comme si c'était une raison.)

Mon compagnon — cette fois ce n'était pas Earle — était un garçon prudent, réservé et, je crois, assez timide. Pour lui, la question ne se posait pas. Il fallait regagner l'abri et j'aurais pensé de même si je n'avais vu un peu plus loin une ambulance du même modèle que la nôtre. La crainte de désobéir à un ordre me donna l'idée de prendre cette voiture et d'aller à l'endroit qu'on nous avait dit. « Tu conduiras », dis-je à mon compagnon.

Sur la route une surprise nous attendait. Les obus tombés un peu partout avaient creusé des entonnoirs là où nous devions passer, et de temps en temps nous entendions des projectiles qui allaient éclater assez loin de là. Je sentis que le danger était à peu près nul, mais mon compagnon souffrait visiblement d'une grande inquiétude et c'est à cause de cela que je l'admirai, car il se rangea immédiatement à mon avis. Nous décidâmes que j'irais à pied et que j'indiquerais d'un coup de sifflet la présence d'un trou d'obus. Les contourner n'était pas toujours facile et cette opération dura un petit quart d'heure au bout duquel nous atteignîmes une route à peu près normale.

A cause de l'idée que je me formais d'une protection particulière de Dieu, qui ne permettrait jamais que rien m'atteignît, je n'avais éprouvé aucune émotion. Aujourd'hui je me rends compte que ma présomption était énorme. Je croyais vraiment que Dieu me gardait de tout mal et qu'il n'y avait pas plus de danger pour moi en Argonne qu'à Passy. Peut-être le mot de présomption est-il trop fort. Cette confiance était toute ma religion et je la devais à ma mère et au sens littéral qu'elle donnait au psaume 23 qu'elle m'avait fait apprendre par cœur. Dieu, pensais-je, m'avait donné sa parole et je comptais dessus. Je ne m'expliquais pas pourquoi d'autres étaient tués ou blessés. Est-ce que Dieu ne les protégeait pas ?

Moi, en tout cas, on ne pouvait me toucher, même du bout des doigts. Cela me gêne un peu d'avoir à écrire que si par hasard on me frôlait de l'épaule, je m'écartais avec une sorte de dégoût. Le mot toucher qu'employait le catéchisme n'était sans doute pas étranger à cette bizarrerie morbide. Je ne m'asseyais jamais à la place qu'un autre venait de quitter et où il avait laissé la chaleur de son corps, parce que cette chaleur me causait un malaise.

Bien différent de moi, bien plus humain, mon compagnon dont le pauvre visage blême trahissait la peur. Il avait bien fait son devoir, malgré sa peur. Moi, j'avais fait le mien comme un somnambule ou un fou. De nous deux, le vrai courageux, c'était lui. J'ai oublié son nom. J'ai oublié l'état du blessé que nous allâmes chercher, et où nous le menâmes. Je ne me rappelle que ce que je viens de raconter.

★

Je me souviens qu'un jour où j'étais assis au soleil devant la maison du notaire, quatre ou cinq de mes camarades vinrent de mon côté et se mirent à me poser des questions un peu pour me taquiner, car mes réponses leur paraissaient confondantes et ils se demandaient si j'étais fou, ou bête, ou intelligent, les trois hypothèses étant permises. Je me prêtai à cet interrogatoire, parce qu'il était sans méchanceté, mais une fois ou deux, je restai court. L'un des garçons me dit enfin, avec un sourire qu'il voulait canaille : « Tu devrais faire l'amour. C'est ça qui te ferait du bien. » Je le regardai en pensant : « Encore le démon. » Mais que répondre ? Je gardai le silence. « Tu le scandalises, dit un autre. Il ne sait même pas de quoi tu parles. » J'eus envie de dire, me souvenant de la bibliothèque de M. Kreyer, que j'étais parfaitement informé, mais je redoutai la discussion dans laquelle je pourrais être entraîné, et je me tus, non sans un certain embarras, car je me sentais vaguement hypocrite et désirais au fond, qu'on me parlât de ces choses. Malgré tout, j'avais peur du péché.

Je ne sais plus par quel biais la conversation dévia vers la religion et là je devenais beaucoup plus bavard. « Qui t'a dit qu'il y avait un Purgatoire ? Ton Eglise ? Le Pape ? » Je sentis mon cœur battre à grands coups. « Si vous lisiez votre Bible dans une traduction complète, vous y trouveriez le Purgatoire. » « Ah ? Et où ça ? » « Dans le *Livre des Macchabées* à l'endroit où la mère des Macchabées prie pour l'âme de ses fils tués à la guerre. » « Qu'est-ce que c'est que le *Livre des Macchabées* ? » « Laisse-le tranquille, dit alors un autre garçon. Tu ne le

persuaderas jamais. » Ils me plaisantèrent
encore un peu avant de s'en aller. « En tout
cas, dit l'un d'eux, si jamais tu deviens
évêque, tu seras superbe en violet. » En attendant de devenir violet, je devins rouge, parce
que ma mémoire me reparlait de mes fautes
charnelles et j'aurais voulu dire à tous ces
hommes que je n'étais pas aussi innocent
qu'ils le supposaient.

Lorsque je fus seul, Phinney s'approcha
de moi et me dit : « Je vois que tu lis régu-
lièrement ta Bible. Est-ce que tu te souviens
de l'endroit où le Seigneur dit à ses disci-
ples : « Vous êtes le sel de la terre » ?
« Parfaitement. » « Le sel de la terre. Qu'en-
tendait-il par là ? » Je répondis d'un trait :
« Le sel empêche la viande de pourrir. »
Phinney leva les sourcils. « Je vois qu'on fait
bien votre éducation », dit-il en tirant sur
sa cigarette. « Il fume, pensais-je. Un vrai
chrétien ne fume pas. » Sans doute parce
qu'on ne fumait pas dans le Nouveau Testament.

★

Quelquefois, quand mon tour arrivait, on
m'envoyait à un endroit appelé Neuvilly. Je

dis bien un endroit, car du village il ne restait guère que des tas de pierres et l'angle
d'une maison réduite à un rez-de-chaussée.
A côté de cette ruine, une petite grange. C'est
du moins tout ce que j'ai vu, car nous avions
reçu l'ordre de ne pas nous aventurer au-
delà d'une certaine limite indiquée par un
poteau. La première fois, devant ce paysage
de désolation, j'eus une minute de stupeur.
Pour une raison que j'ai oubliée, j'étais
seul dans ma voiture que j'arrêtai. Je crois
que ce qui me frappa le plus fut la qualité
du silence et l'expression silence de mort me
vint à l'esprit. Simplement, la vie était
absente. Il n'y avait rien. Le ciel gris était
vide, la terre était nue, pas un oiseau ne
chantait.

A l'intérieur de la ruine qui servait de
poste de secours, il en allait tout autrement.
De toute la guerre, c'est mon souvenir le plus
curieux. Passant devant une cave dont je
reparlerai, on montait trois marches jusqu'à
une porte qui s'ouvrait, pour moi, le plus volontiers du monde. Je me trouvais alors en
présence d'un Français en bleu horizon qui
me serrait la main avec une extrême cordialité. Je ne suis pas sûr que ce fût un
officier, mais je le crois. Appelons-le J., le
lieutenant J. Lorsqu'il se rendit compte que
je parlais sa langue aussi bien que lui, sa
joie se manifesta d'une façon toute litté-
raire. Après s'être enquis en peu de mots de

ce que je faisais avant la guerre (c'était vite dit), il atteignit sur une planche un exemplaire des poésies de Samain et me régala d'un grand quart d'heure de lecture accompagnée d'une gesticulation expressive. C'était, autant que je m'en souvienne, un homme d'une quarantaine d'années, fort pâle et à la fois gros et maigre, gros de corps, maigre de visage. Quand il ne parlait pas, il fredonnait. On devinait chez lui la résolution bien arrêtée de supprimer la guerre, au moins dans les limites de la petite pièce où nous nous trouvions. Rien du mobilier ne m'est resté dans la mémoire, sinon un fauteuil, quelques chaises de peluche rouge et une assez longue table qui devait être pour moi, un instant plus tard, un objet de grand étonnement.

Profitant d'une petite pause, je demandai au lieutenant J. où je devais mettre mon ambulance. « C'est vrai, dit-il, je n'y pensais plus. Dans la grange. Faites le moins de bruit possible. » J'ai oublié de dire, en effet, que c'était une des recommandations qu'on nous avait faites. Je sortis donc de l'abri et retrouvai ma voiture sur la route. Le jour tombait, mais on y voyait encore clair, et après la grande rumeur de paroles que j'avais encore dans l'oreille, le silence de la terre et du ciel me parut plein de choses terribles. Le plus doucement que je pus, je dirigeai l'ambulance vers la grange.

Quelqu'un était là. Devant moi, presque à mes pieds, un soldat étendu sur un brancard. Je m'arrêtai aussitôt. Sur la tête et la poitrine, on avait jeté sa capote qui laissait passer deux mains blanches et jeunes, sagement posées de chaque côté du corps. De même, les jambes et les pieds étaient joints bien droits. J'allai ranger ma voiture au fond de la grange et revins auprès du soldat. Ce qui se passa en moi à cette minute, je ne pourrai jamais l'exprimer. De la tristesse mêlée à de la fureur, de l'amour aussi, j'éprouvai tout cela d'un coup. Les mains étaient presque des mains de garçonnet avec des doigts déliés qui devaient bien mal tenir un fusil. Et sous la capote bleu horizon, qu'y avait-il ? Je ne voulais pas le savoir, je regardai seulement ce corps un peu fluet, tranquille, entouré d'un silence extraordinaire et d'une solitude que ma présence même ne troublait pas. Mon cœur se serra horriblement et je n'ai pas honte de dire que des larmes roulèrent sur mes joues, des larmes de compassion, sans doute, mais qui ressemblaient bien à des larmes d'amour, et la haine de la guerre s'installa dans mon cœur à jamais. Je fis le vœu de ne jamais tuer, même pour me défendre, et pris Dieu à témoin de ce que je promettais.

★

En regagnant l'étrange petit logement du lieutenant J., je fus surpris de voir que, pendant mon absence, le couvert avait été mis sur la table pour dîner, car je ne croyais pas être resté dehors si longtemps, mais ce qui me surprit bien plus, et me ravit, fut de voir que la table avait d'abord été recouverte d'une belle nappe blanche. Une nappe blanche, c'était le temps de paix, la maison des parents.

On servit presque aussitôt. C'était l'ordonnance du lieutenant qui avait fait la cuisine dont je n'ai aucun souvenir. Le cuisinier, cependant, m'est resté dans l'esprit et je crois le revoir en parlant de lui. Il était grand, hilare et rouge de visage. Les Américains de notre section ne l'appelaient jamais que Doucement, parce que « *Doucement !* » était le cri qu'il poussait à tout moment lorsqu'ils l'emmenaient avec eux dans leurs ambulances, ce cri s'expliquant par la vitesse incroyable à laquelle ils roulaient sur les routes. Cet homme qui s'était bien battu sur le front tremblait dans nos voitures. Il jouissait d'une popularité extrême. C'était par dessus le marché un pochard incorrigible.

Doucement nous passa donc les plats et disparut ensuite dans la cave. Mon hôte se
remit à dire des vers et à évoquer l'avenue
Victor-Hugo qu'il habitait avant la guerre.
C'était un peu mon quartier et je dis quelques mots, qui ne furent pas entendus, sur
la rue Cortambert. Elle me paraissait si loin
et si belle !

Vers la fin du repas, je ne pus me retenir
de complimenter mon hôte sur la blancheur
et la finesse de sa nappe. « Oui, dit-il, j'ai
aussi des draps de la même qualité, et pour
cause : ce sont les linceuls que le gouvernement se croit obligé de m'envoyer pour en-
sevelir les pauvres bougres qui rendent
l'âme dans ce coin. Quel besoin en ont-ils,
je vous le demande. Alors, pour que ce ne
soit pas perdu... J'en ai une quantité. Vous
en voulez un ou deux pour cette nuit ? Non ?
C'est comme vous voudrez. »

Je pensai au garçon endormi sur son brancard et ne pus que baisser la tête. L'idée
m'effleura que le lieutenant J. était fou, que
la guerre l'avait rendu fou, et les vers de
Samain débités dans cette affreuse petite
ruine prenaient un aspect sinistre. Lorsque
je crus être resté assez longtemps, je priai
le lieutenant de m'excuser et allai me coucher à l'endroit qui m'avait été réservé, c'est-
à-dire à la cave. A la lumière de ma torche
électrique, je trouvai des couvertures étalées
sur un brancard : mon lit. Pas question de

se déshabiller. Je me couchai et me recou-
vris de mon mieux. A peine avais-je fermé
les yeux qu'un grand cri me fit bondir :
« Doucement ! »

Mes camarades m'avaient prévenu. Doucement partageait la cave avec moi et ses
cauchemars, aggravés par une cuite quotidienne, retentissaient de cette clameur, toujours la même. Se croyait-il dans une ambulance filant sur deux roues le long d'une
route bombardée ? C'était ce que je supposai
et me rendormis, ma couverture soigneusement ramenée par-dessus mon oreille gauche.

J'eus une nuit assez agitée, un peu par
la faute de Doucement dont la voix me
faisait tressaillir dans mon sommeil, mais
aussi parce que, de temps à autre, je sentais
sur mes épaules et sur tout mon corps un
poids qui se déplaçait rapidement, puis revenait, et bientôt il s'établit un obscur rapport
entre les cris de mon compagnon et ce quelque chose de mystérieux qui se posait sur
moi. A l'aube, j'ouvris les yeux et sans même
un frisson d'horreur, car j'étais trop las,
j'aperçus des rats d'une grosseur prodigieuse
qui couraient tout autour de nous. Sans doute
dormaient-ils le jour. La nuit, en tout cas,
ils s'ébattaient dans cette cave et nous couraient hardiment sur le corps. Je n'en ai
jamais vu d'aussi énormes. Du coup, je me
couvris entièrement la tête et ramenai mes
pieds sous moi, ne remuant que lorsque je

sentais une de ces bêtes s'installer sur mon dos. Aucune ne me mordit. Le lieutenant J., lui, dormait, j'imagine, plus confortablement à la salle à manger, sous son linceul.

Je le retrouvai quelques heures plus tard, débordant de littérature, et en me souhaitant bon retour il exprima le souhait de me revoir souvent.

★

Une fois, je ne sais plus pour quelle raison, je fus envoyé seul au bourg de Souilly. Je me souviens qu'on y voyait un grand nombre de chemins de fer et un assez vaste hôpital, et devant l'hôpital, dessinée en cailloux rouges sur un fond de cailloux blancs, tout cela dans un cercle qui formait un disque immense, une large croix rouge, visible sans aucun doute à une très grande altitude. Ce fut là, sous un ciel gris, que je connus quelques-unes des minutes qui m'ont le plus profondément marqué. Il me sembla que toute la tristesse du monde se rassemblait en cet endroit. Ce que j'avais ressenti l'année précédente, à l'hôpital Ritz, n'était presque rien au prix de ce que j'éprouvai dans ce moment qui me fit voir l'inanité des

choses de la terre. Simplement, il n'y avait
plus de bonheur possible. La haine dominait
seule, et le désespoir. Quelque chose en moi
se figea et pendant un temps que je ne puis
apprécier, il me fut impossible de bouger. Je
demeurai fasciné par cette espèce de révélation intérieure et l'épouvante me saisit. Comment dire autrement ? Une crainte panique
de la terre, de tout le royaume de ce monde,
de l'humanité. J'eus l'impression que je venais
d'être séparé de moi-même, de toute confiance
en l'avenir, de toute joie, et la pensée que
tout était perdu se logea en moi comme un
ennemi occupe une place qui vient de se rendre. Aujourd'hui encore, je me demande quel
sens pouvait avoir une expérience aussi singulière. D'où me venait cette tristesse ? Non
pas de Dieu, certainement, car Dieu ne fait
pas peur à ceux dont il s'approche, mais il
est incontestable qu'elle me sépara de bien
des choses et qu'elle me rejeta en moi-même
comme dans le seul lieu où je serais à l'abri
d'une prodigieuse menace, la menace de tout
ce qui nous entoure, de l'hostilité des hommes, de la mort qui veille. Je mis la main sur
mon chapelet au fond de ma poche, mais
prier, il n'en était pas question : je n'en étais
pas capable. Il est étrange de constater que la
prière nous fait quelquefois défaut alors
même qu'elle nous serait le plus nécessaire.

★

A Clermont, je retrouvais la bonne humeur
de mes camarades. Un jour, l'un d'eux me
dit avec un clin d'œil : « A. Piatt est en
route. » J'appris que A. Piatt était un officier de l'armée américaine chargé d'inspec-
ter les sections d'ambulances pour voir si
quelques malheureux embusqués ne s'étaient
pas glissés parmi nous. C'était du moins ce
que certains supposaient, mais je crois qu'il
s'agissait simplement d'intégrer tous les services de volontaires dans l'armée américaine. Quoi qu'il en soit, A. Piatt voyageait
dans une automobile sur toute une partie du
front, à la recherche de nos sections d'ambulances.

Ce matin-là, en effet, une voiture s'arrêta
devant la maison et quelqu'un s'écria :
« *That's A. Piatt coming for Green !* » (Voilà
A. Piatt qui vient chercher Green). L'armée
américaine, en effet, ne prenait personne au-
dessous de dix-huit ans, et je venais d'en
avoir dix-sept.

A. Piatt était sec et mince dans son uniforme, avec de petits yeux noirs et saillants
comme des yeux d'écrevisse derrière un

binocle. Je comparus devant lui et d'une voix extrêmement nasale il me demanda la date de ma naissance. Je la lui dis. « Faites votre cantine, me dit-il. Vous partez demain, vous rentrez chez vous. »

★

Aucun souvenir de ce départ ne m'est resté. Je ne sais même pas si j'en fus content ou non, mais je me rappelle comme si j'y étais le compartiment du train où je me trouvai le lendemain matin. Nous étions serrés les uns contre les autres et tous mes compagnons de voyage riaient, chantaient ou bavardaient, car ils portaient l'uniforme bleu horizon et venaient du front de Verdun. La pensée que dans quelques heures ils seraient à Paris donnait à leur gaieté quelque chose d'effrayant, comme serait celle de condamnés à mort qu'on relâcherait tout à coup. Ils s'esclaffaient comme des enfants et s'amusaient de tout avec la démesure que cause l'ivresse. Peut-être est-ce là ce que l'on pouvait dire de plus exact sur leur comportement : ils étaient ivres de bonheur.

Sans doute avais-je pris le train à Clermont, alors qu'ils étaient montés à Dombasle.

Ils me regardèrent d'abord avec stupéfaction. Ma jeunesse (j'avais encore l'air d'un enfant), mon uniforme kaki, tout cela demandait beaucoup d'explications. J'étais le premier Américain qu'ils voyaient, mais par ailleurs je parlais français comme eux. Quand je leur dis, répondant à leurs questions, que je m'étais engagé avant d'avoir dix-sept ans, ils se regardèrent en éclatant de rire et l'un d'eux, le plus jeune et le plus moqueur, se toucha le front du doigt. Il était très joli garçon et parlait avec l'accent et toute la gouaille de Paris. Assis exactement en face de moi, il faisait le pitre pour divertir ses camarades sur lesquels il semblait avoir un ascendant extraordinaire. Coudes et genoux écartés et le bout des doigts posé sur ses cuisses, il me demanda si je ne le trouvais pas « gandin » dans son uniforme, lequel en effet avait été brossé avec soin. Il m'intimidait horriblement, car il avait à mes yeux le prestige d'un garçon qui s'était battu au front, et je n'ai conservé aucun souvenir de ce que je lui répondis, rien sans doute. Dans une gare où le train s'arrêta, il se pencha par la portière et demanda à une femme qui vendait des journaux : « Pardon, Madame, vous n'auriez pas le journal *La Croix* ? » Cette question qui lui valut un nouveau succès de rires me heurta sans qu'il me fût possible de comprendre pourquoi, puis la pensée me vint que le garçon était

peut-être incroyant, et quelque sympathie
que j'eusse pour lui, car il me souriait gentiment, je ne le regardai plus sans inquiétude, me demandant, je pense, comment il
allait faire pour se sauver. J'aurais pu, soit
dit en passant, garder beaucoup de cette
inquiétude pour mon compte personnel, mais
je n'imaginais même pas qu'il n'y eût pas
une place pour moi au Paradis, et seul me
tourmentait le salut d'autrui.

★

Revenu chez nous, je trouvai la maison
bien triste. Mon père avait les cheveux blancs
et le chagrin l'avait vieilli. Il me raconta
qu'un officier américain était venu le voir
à mon sujet et lui avait dit que si je voulais
rester dans les ambulances, je n'avais qu'à
dire que j'avais dix-huit ans et non dix-sept.
A quoi mon père avait répondu en se levant :
« Mon garçon n'est pas un menteur, Monsieur. Si vous ne voulez pas de lui, renvoyez-
le moi. Et sortez ! »

Je m'interrogeai sur ce que j'allais faire.
Nous étions au seuil de l'hiver et l'appartement
était déjà glacial. Je rouvris mes livres sur

la table de la salle à manger, des livres de philosophie, pour essayer d'apprendre ce qu'on apprenait au lycée, mais je n'arrivais pas à redevenir la même personne qu'avant mon départ. Avec un certain étonnement, je m'aperçus que mes camarades me manquaient, leur jeunesse, leur extrême insouciance, même les sales paroles dont je ne comprenais pas bien le sens, mais qui s'accompagnaient d'une gaieté réconfortante. Je ne m'ennuyais pas cependant. La chapelle des sœurs blanches, nos voisines, me parut merveilleusement belle et je ne me lassais pas de les entendre psalmodier. Dans un monde diabolique, elles continuaient à chanter la gloire de Dieu. Je me sentais sauvé avec elles et, si je ne me trompe, je me remis à communier tous les matins.

Etait-ce à ce moment-là ? Je le suppose. En tout cas, je me souviens qu'au fond de l'appartement, dans une pièce fort sombre qu'on essayait de chauffer avec quelques bûches dans la cheminée, je vis ma sœur Retta pour la dernière fois. Elle était couchée et me parut amaigrie, mais toujours aussi belle, avec ses longs cheveux noirs le long de ses joues qui restaient roses. « Viens par ici, me dit-elle, tourne toi du côté de la lumière. » Elle me regarda longuement, avec attention, puis fit quelques plaisanteries que je n'ai pas retenues. Elle portait une matinée de laine rose pâle et ses gestes étaient déjà ceux d'une personne qui craint de se casser, mais elle riait, et dans son innocence, elle me fit cadeau d'un livre qu'elle avait fait acheter pour moi, non un livre pieux, parce qu'elle me trouvait un peu trop grave; un recueil de contes de Maupassant qu'elle n'avait sans doute pas lus et qu'elle prenait pour des histoires de chasseurs, donc inoffensives : les *Contes de la Bécasse.*

Je ne puis penser à ces choses sans un serrement de cœur. « Pourquoi est-elle malade ? me demandai-je. Pourquoi elle ? Elle est si jeune, si belle et si bonne... » Quelques semaines plus tard, elle dut retourner à l'hôpital de Neuilly où de nouvelles opérations l'attendaient, mais j'étais moi-même déjà parti.

Mon père avait appris, en effet, qu'un service d'ambulances se formait sur le front d'Italie, par les soins de la banque Morgan Harjes, de New York. Cette organisation indépendante de l'armée accepterait mes services et j'allai m'inscrire, sans même songer une seconde à discuter, aux bureaux de la rue François-Iᵉʳ. On me donna un uniforme qui ressemblait à celui que je venais de quitter et vers la mi-décembre de cette année, je me trouvai dans une petite chambre d'hôtel, à Milan.

★

Ce récit est un peu une mise en accusation du jeune homme que je fus, mais il est écrit en réaction contre certaines autobiographies qui ne me semblent être autre chose que des mensonges. La confession est faite, non sans d'importantes omissions, et l'auteur se donne lui-même une absolution des plus larges. Je ne dis pas qu'il ait tort de s'absoudre, au contraire, mais il fait mal en taisant certaines petites choses honteuses, et je le voudrais un peu plus déshonoré à ses propres yeux. En ce qui me concerne, je pourrais dire quelque chose pour me justifier, mettre en évidence le manque total de direction pendant ces années décisives, mais je pense que le lecteur verra cela sans que je le fatigue à le lui rappeler sans cesse.

Je m'aperçois cependant que je vais trop vite et qu'il me faut revenir en arrière de quelques semaines. Un soir de novembre 1917, j'étais assis dans la salle à manger et j'étudiais avec beaucoup de livres autour de moi (il me fallait toujours beaucoup de livres), quand j'entendis sonner et pensai aussitôt à la visite que j'avais reçue, un an plus

tôt, de Jeanne Lepêcheur, mais ce n'était
pas Jeanne, c'était Mr. Ware.

Il entra de son pas de félin et fit une légère grimace qu'on pouvait prendre pour
un sourire. S'asseyant devant moi, il me
tint un petit discours d'une voix légèrement
cassante et avec ce choix méticuleux de mots
qui sentaient un peu l'universitaire, car il
y avait une sorte de coquetterie chez cet
homme impérieux. Je me souviens qu'il
avait jeté sur la table, entre nous, sa casquette soigneusement déformée comme si
le vent des batailles l'eût poussée toute d'un
côté, et je crois bien qu'il y avait aussi une
badine. Tout cela ne m'intimidait plus. J'étais
civil et Mr. Ware était chez moi. « On s'était
proposé de vous donner une décoration, me
dit-il. » J'ouvris la bouche de stupéfaction.
Pourquoi une décoration ? « Oh, fit Mr. Ware,
c'était à cause de cette histoire d'ambulance
que vous avez prise à la place de la vôtre. Il n'y
avait là rien que de très normal. » J'étais
entièrement de son avis et le lui dis avec
force. Il fit son sourire de chat-tigre. « Du
reste, ajouta-t-il, je n'ai pas agité la question. » « Vous avez bien fait ! » m'écriai-je.
Avec quelle joie j'articulai ces mots qui me
réhabilitaient à mes yeux ! Je devinais, en
effet, qu'il s'attendait à une réaction différente et je l'envoyai promener, lui et sa
décoration. Il leva les sourcils et continua :
« Je n'ai pas besoin de vous rappeler d'ail-

leurs qu'en général nous n'acceptons pas de décorations étrangères. » (C'était sans doute vrai à l'époque, mais on modifia bientôt cette disposition.) « Et puis, conclut-il virilement, nous autres, nous n'avons pas besoin qu'on épingle des médailles sur notre uniforme parce que nous avons fait notre devoir, n'est-ce pas ? » Là encore, je lui donnai chaleureusement raison, et cette conversation ayant pris fin, il se leva et sortit.

Resté seul, je me dis qu'il aurait été un peu ridicule de me décorer étant donné que j'étais sûr de n'avoir rien fait qui le méritât, mais les Etats-Unis étaient en guerre depuis assez peu de temps et on cherchait des poitrines américaines où accrocher une médaille. C'était ce qu'on appelle un geste et qui n'avait de sens que symbolique. Et tout cela dit, j'avoue que si l'on m'avait décoré, même injustement, j'en aurais crevé d'orgueil. Malgré tout, j'avais eu un plaisir sensible à décevoir Mistère Ouaire si, comme j'en étais convaincu, il s'attendait de ma part à une longue figure. D'autre part, je savais qu'il était du Nord et il savait que j'étais du Sud (et pas peu fier de l'être). S'il avait voulu m'humilier, il emportait la certitude qu'il en était pour ses frais, mais par crainte qu'on ne se moquât de moi, je gardai secrète cette affaire de décoration.

★

A Milan donc, en décembre 1917, je me trouvai seul dans une des plus tristes petites chambres d'hôtel qui fût au monde. Ce n'était pas qu'elle fût pauvre, mais fort exiguë et pleine de meubles sombres dont les dimensions me paraissaient considérables. Une sinistre petite lampe à abat-jour rose luttait en vain contre des masses d'ombre. Dans ce décor de désespoir, je me couchai et cédai à l'instinct sans plaisir, mais par une sorte de nécessité que je ne m'expliquais pas. Je pense que le seul fait de me sentir en Italie me portait à commettre un péché auquel je ne songeais presque plus. J'hésite à écrire ces mots, mais le son des voix italiennes agissait sur moi avec une force corruptrice. Il me semblait qu'elles ne parlaient que de bonheur charnel. Quoi qu'il en soit, mon geste me remplit de tristesse et suivant le conseil de Baudelaire, j'éteignis vite la petite lampe et me cachai dans les ténèbres.

Le lendemain avant l'aube, j'errais dans les rues noires de cette énorme ville, mon sac sur le dos. N'ayant jamais eu à aucun degré le sens de l'orientation, je m'étais perdu, mais j'étais en avance de près d'une heure et la simple joie de vivre me faisait chanter à mi-voix tout en marchant un peu au hasard. Au coin d'une rue, j'abordai un vieillard vêtu comme un paysan et lui demandai où se trouvait la via Solferino. « La via Choulferino ? » répéta-t-il. Il me l'indiqua avec des gestes que je compris mieux que son langage et j'arrivai bon premier au lieu du rendez-vous.

Dans la lumière électrique d'un immense garage rempli de voitures-ambulances, je me trouvai bientôt au milieu d'une vingtaine de garçons que je ne connaissais pas et dont les visages mal réveillés semblaient encore tout englués de rêves. La question : « D'où êtes-vous ? » ou plutôt : « De quel Etat êtes-vous ? » voyageait de bouche à bouche. Beaucoup de garçons se vantaient d'une nuit joyeuse après un dîner chez Covas. Je ne savais ce que c'était que Covas, mais j'imaginai un lieu plein de lumières et des scènes dans le genre compliqué des dessins de Giulio Romano et de l'Albane. Presque tous ces garçons avaient commis des péchés, mais moi aussi. Quand il fallut expliquer aux uns et aux autres que j'étais américain bien que né à Paris, je me sentis à chaque fois un peu plus isolé.

Arriva enfin sur les lieux un petit homme rond et potelé, frileusement vêtu d'un manteau à col de fourrure. Notre chef. Mr. Ware, pensai-je, l'eût regardé avec dédain. Ça, un chef ? Une dame plutôt. Il nous expliqua que les voitures du garage n'étaient pas pour nous. C'étaient des *Fiat*, nom qui me resta dans l'esprit à cause de *fiat voluntas tua*. Nos voitures à nous attendaient à Varèse. Des camions nous y conduisirent.

Ce qui se passa ensuite m'a fui à jamais. Je me souviens seulement que cette nuit-là je me perdis sur une route lombarde, dans une petite ambulance grise exactement pareille à celle que j'avais conduite en Argonne. Il pleuvait à verse et je voyais à la lumière de mes phares les belles pierres verticales qui bordaient les fossés de chaque côté de la route, mais où étais-je ? Où allais-je ? Rien de tout cela ne m'est resté, mais je me revois m'arrêtant à la porte d'une longue maison peinte en rose qui me parut être une ferme.

On m'ouvrit et j'entrai dans une grande salle où deux ou trois hommes et une femme se tenaient autour du feu, et je dis bien : autour, car le feu brûlait sur une très grande pierre en forme de meule, placée au centre de la pièce. La fumée montait au plafond en s'engouffrant dans une sorte d'entonnoir de brique fixé dans le toit. Si j'avais mieux connu les antiquités romaines, j'aurais immédiatement reconnu la cheminée de l'*atrium*. Quoi qu'il en soit, j'expliquai dans mon charabia italien que j'étais américain et que je m'étais perdu. On me demanda aussitôt si j'avais dîné, et je dis que non. Je mourais de faim.

Il me fut servi alors, au bout d'une longue table, un des meilleurs repas que j'aie faits, parce qu'il se composait des mets les plus simples et que j'avais l'appétit de mon âge. Je me souviens encore de *l'ossobuco* et de la galette de maïs, mais surtout de la gaieté et de la gentillesse de ces gens qui ne me connaissaient pas un instant plus tôt et me traitaient à présent comme un frère ou un fils. Ils s'étaient assis à une certaine distance de moi, comme pour ne pas me gêner, et je voyais derrière eux, dans cette grande pièce un peu obscure, le feu dont la présence magique était l'image de leur charité.

Tout le reste m'échappe. Ils m'indiquèrent la route à prendre et je retrouvai ma section, mais où et à quelle heure ? Deux jours plus tard, nous traversions Padoue et nous arrivions le lendemain à Dolo, en Vénétie. Des villas dont quelques-unes étaient magnifiques bordaient la route. L'une d'elles nous fut assignée comme lieu de résidence pendant quarante-huit heures, la *Villa Mira,* longue maison mi-campagnarde, mi-citadine où nous eûmes l'étonnement de nous trouver dans des pièces pavées de marbre.

J'étais beaucoup plus émerveillé de tout que mes camarades, parce que j'étais amoureux de l'Italie. Je touchais les murs, j'au-

rais voulu baiser le sol, mais cette espèce
d'enivrement, je le dissimulais de mon mieux
par crainte du ridicule. Un violent désir de
vivre s'emparait de moi, une faim de bonheur qui me donnait envie de rire et de
pleurer. Je me souviens qu'au rez-de-chaussée de cette villa, dans un salon du XIXᵉ siècle, se trouvait un piano sur lequel deux de
mes camarades jouaient à quatre mains un
morceau de Mendelssohn qui me ravissait,
car il exprimait tout mon élan vers l'avenir.
La guerre n'existait plus, tout souriait autour de moi. Dans tout cela il y avait beaucoup de sensualité, mais je ne m'en doutais
pas.

Venise n'était pas loin. Ce n'était pas à
Venise que nous devions nous installer,
hélas ! Le lieu de notre destination se nommait Roncade, entre Mestre et Trévise. Je
devais y passer cinq mois qui comptèrent
dans ma vie.

★

Il y a souvent chez le romancier qui écrit
ses mémoires (si le mot convient ici), la
tentation d'établir dans la suite de ses souvenirs une cohérence plus forte que la sin-

cérité ne le lui permet, je veux dire qu'il s'accommode mal de tous les *blancs* qu'il découvre dans sa vie et qu'il essaie de combler. Pour ma part, je suis obligé de convenir que je n'ai retenu de ma jeunesse que des fragments isolés et que je ne parviens pas toujours à joindre bout à bout. Je n'écrivais pas mon journal. Beaucoup de choses m'ont fui, sauf, je l'espère, celles qui comptaient vraiment. Et qui me dit pourtant que l'essentiel, au contraire, n'est pas précisément ce qui m'est caché ? J'en viens à me demander quelquefois, avec ces idées en tête, si conserver le registre de tout ce que nous faisons jour par jour n'est pas une erreur et s'il ne serait pas plus sage de permettre à l'oubli de faire son travail qui consiste à garder ceci et à enlever cela, tout cela.

★

J'ai beau mettre ma mémoire à la torture, je ne me souviens presque pas de Roncade, pas même, et ceci est curieux, pas même de l'église. Nous avions, il est vrai, reçu les ordres les plus stricts sur les limites que nous ne devions pas franchir et les rapports que nous devions avoir avec la popula-

tion. Sans doute nous avait-on défendu
l'accès de la petite ville. Je ne vois pas d'autre
explication possible au fait que pendant toute
cette fin d'hiver et le printemps qui suivit,
je n'allai pas une fois à l'église. Le mot
d'ordre était de ne gêner en aucune façon
les gens du pays. Je suppose qu'on voulait
éviter les disputes et d'autre part les com-
plications « sentimentales ». Enfin nous nous
tenions à l'écart et logions dans des maisons au bord de la route.

Je vois très distinctement la petite villa
que je devais habiter avec quelques autres
Américains jusqu'au printemps de 1918. Elle
me parut aussi banale que possible : carrée,
avec une petite terrasse et un seul étage, trop
simple pour qu'on la trouvât jolie ou laide,
solide, bourgeoise. Telle qu'elle était, notre
chef s'y installa. Une fois seulement, j'eus par
la porte entrouverte la possibilité de jeter
un très rapide coup d'œil dans la chambre
qu'il occupait au rez-de-chaussée. Comme
il fallait s'y attendre, elle était douillette.
Un feu brillait dans la cheminée et sur
le lit s'étalait une couverture de fourrure
blonde. De grands fauteuils invitaient au
repos et des piles de revues aidaient à
passer le temps. Il flotta jusqu'à moi un
parfum grisant de cigarette de luxe, et la
porte se referma.

Pour des raisons que je devine aujour-
d'hui, ma chambre se trouvait exactement

au-dessus de celle de notre chef, mais il va sans dire qu'elle manquait de ce je ne sais quoi de voluptueux qu'on subodorait dans la sienne. Ma chambre était spacieuse et claire, et je reconnais qu'elle était belle. Les murs étaient peints en bleu très pâle. Un lit de fer, une armoire à glace et une chaise droite constituaient tout son ameublement. Je la jugeai splendide, parce que c'était l'Italie. De plus, elle était à moi. Je ne la partageais avec personne. Ici se glisse le soupçon de quelque chose qui m'échappa totalement pendant des mois. Les autres garçons dormaient à deux ou même à trois dans d'autres chambres beaucoup plus petites, mais l'idée de poser une question ne me venait pas à l'esprit. J'obéissais sans discuter une seconde. J'ajoute, pour préciser un détail qui a sa valeur, que ma chambre donnait sur la petite terrasse dont j'ai dit un mot et qui la prolongeait agréablement.

La question serait de savoir pourquoi on m'avait assigné cette chambre et pourquoi j'y dormais seul. A cela il y a deux réponses :

1° Personne ne voulait de ma compagnie... Cela est possible. J'étais pour tous ces garçons l'étranger qui ne venait d'aucun Etat et qui parlait avec les intonations du Sud. Tous en effet venaient du Nord ou de l'Ouest. Du temps leur fut nécessaire pour s'habituer à moi.

2° Le chef avait reçu l'ordre de me surveiller, parce que j'étais le plus jeune et, selon ses vues, le plus facile à débaucher (il me connaissait mal). A cause de cela, j'étais tenu à l'écart et il entendait parfaitement les allées et venues qui pouvaient avoir lieu dans ma chambre.

Je ne me rappelle plus si cette pièce était chauffée ou non. L'hiver fut assez doux et je n'ai pas souvenir d'avoir souffert du froid.

Dans une autre chambre qui donnait, non sur la route, mais sur un paysage de champs et d'arbres, dormaient deux garçons dont l'un était amoureux de l'autre, en vain, paraît-il. Le soupirant que j'appellerai James était un doux escogriffe à lunettes qui me confiait sa peine à laquelle je compatissais, car je me souvenais encore de Frédéric avec de brusques émotions, mais jamais le mot d'amour n'était prononcé. James avait des goûts raffinés et lisait Jane Austen. A quelle fin étrange il était promis, nous étions tous loin de nous en douter. Quoi qu'il en soit, l'objet de sa passion malheureuse était un garçon rose au nez pointu, souriant, bien élevé, très légèrement dédaigneux avec moi parce que je n'étais pas né sur la terre américaine, mais cela, je ne le compris que beaucoup plus tard. Du reste, qu'est-ce que je comprenais de ce qui ne m'intéressait pas ? Je disais à James : « Il est un peu ennuyeux, ton ami Dick. Et il a beau sortir de Yale, il n'a presque rien lu. » « Hélas, je sais tout cela, soupirait James, mais on n'est pas maître de ses sentiments. » Beaucoup d'autres conversations roulèrent sur ce point, mais je n'arrivais pas à deviner où James voulait en venir. Il partageait la même chambre que Dick. Que lui fallait-il de plus ? « Tu ne comprends pas », me disait-il. Non vraiment, je ne comprenais pas. « Enfin, tu as vécu à Paris ? » « Oui. Quel rapport ? » Il secouait la tête avec désespoir. Je finissais par le trouver un peu lassant, lui aussi. A bien y réfléchir, je me demande ce qu'il y a de plus ennuyeux au monde qu'un amoureux, sauf dans les romans et sur la scène, et encore.

Dans la chambre qui faisait face à la mienne, de l'autre côté d'une galerie de marbre, logeaient d'autres garçons dont je reparlerai plus tard pour faire voir la bizarrerie de mon caractère que je cachais sous une apparence de douceur. J'étais fier, gauche, méprisant dans le secret de mon cœur avec un sens aigu du ridicule chez le prochain que je n'épargnais pas. Aujourd'hui, il me paraît inexplicable que quelqu'un ne m'ait pas roué de coups à cette époque, mais mon incroyable innocence, dont on s'apercevait assez vite, me mettait en quelque sorte à l'abri de certaines violences, de même qu'on ne porte pas la main sur un enfant. On me croyait un peu dérangé, mais d'une façon générale, on mettait cela sur le compte du fait que j'étais né en Europe. D'autre part, comme ils étaient tous de bonne composition, ils s'amusaient de mes taquineries et ma gaieté les faisait rire. Je n'étais plus renfermé en moi-même comme en France. Il faut croire que l'air italien me montait à la tête et toutes sortes de choses bouillonnaient en moi que je ne soupçonnais pas.

★

Nous prenions nos repas dans une maison située à une centaine de mètres de celle dont je viens de parler. Elle était grande, belle et basse, entourée de prés, de vergers, de petits jardins et son aspect campagnard me ravissait. La cuisine énorme comme une cuisine du Moyen-Age sentait le bois qui brûle et le pain en train de cuire. On y voyait souvent des soldats italiens qui venaient bavarder avec la cuisinière, personne imposante qui me regardait avec attention, quand par hasard je m'aventurais de ce côté. Un jour que j'entrai pour lui demander je ne sais quoi, une sorte de conversation s'engagea entre nous et les hommes qui bavardaient autour d'elle se turent. Ils

étaient assis sur des bancs et je les voyais
mal dans la pénombre de cette fin d'après-
midi. Tout à coup, dans un silence qui me
parut gênant, la cuisinière me fit un compliment de cette voix éclatante qu'on réserve
aux sourds ou aux étrangers. Je me sentis
rougir jusqu'aux oreilles, non par modestie,
mais parce que je crus qu'elle se moquait
de moi devant ces soldats. Maintenant encore, à tant de distance, il m'arrive de soupi-
rer en repensant à cette scène. Personne ne
bougea, personne ne dit mot. Je restai moi-
même immobile comme un nigaud, puis bre-
douillant une phrase incompréhensible, je me
sauvai. Dehors, je me cachai le visage dans
les mains. Cette femme avait l'air si sérieuse
en me parlant, et les soldats n'avaient pas ri...
Je me promenai un moment dans les prés
coupés de petits canaux où se reflétait le soleil couchant et le cœur me battait si fort
que je dus m'étendre. La crainte d'avoir été
ridicule me faisait souffrir. Un garçon moins
sot que moi aurait remercié cette femme d'un
sourire, aurait trouvé quelque chose d'amusant à dire, mais je m'étais sauvé. J'avais pris
peur.

A la salle à manger où nous nous retrou-
vions tous trois fois par jour, sauf le chef
qui prenait ses repas dans sa chambre,
j'avais ma place à côté de l'aîné de notre
section. Il avait les cheveux tout blancs et
s'appelait Clarke. C'était un homme très

bon et très doux qui secouait tristement la
tête quand les garçons faisaient trop de
bruit. Tous, en effet, criaient à propos de
tout et nous mangions dans le vacarme. Le
meneur de la bande était un grand, beau
garçon qui ressemblait à un joueur de foot-
ball et qui, six mois plus tard, devait mourir en France, brûlé vif dans un char d'as-
saut. Il s'appelait Dresser et sa voix de
clairon dominait le tumulte. Pour ma part,
je me tenais coi, à la droite du vieux Clarke,
et je voyais bien que toute cette agitation
scandalisait les soldats italiens qui nous servaient gravement avec une indignation
muette, car souvent les garçons se jetaient
des morceaux de pain à la tête, et le pain
manquait dans beaucoup de maisons du
pays. J'avais honte devant les petits soldats
en uniforme gris-vert, honte de la figure
que nous faisions. Enfin, notre chef, dans
un sursaut d'énergie, sortit un jour de ses
fourrures et donna l'ordre (par écrit) que
tout ce chahut prît fin.

★

La salle à manger était nue, pavée de marbre, avec deux fenêtres et une très longue

table de bois blanc à laquelle nous nous
asseyions tous d'un côté et le dos au mur.
Je me souviens du bruit, des grands bols
de macaroni et aussi de la blancheur du
pain. En vérité, ce pain était blanc comme
une hostie et je ne le touchais qu'avec respect. Si quelque chose agissait sur moi,
d'une façon que je ne saisissais pas bien,
c'était cela, ce pain blanc, et de le voir
insulté, roulé en boules et jeté à terre me
causait un grand malaise.

Le vieux Clarke veillait sur moi et me
parlait doucement. Ce n'était pas par hasard
que j'avais été placé à côté de lui et j'ai
honte de raconter ce qui va suivre. Un soir,
je ne sais plus à quelle occasion (c'était
peut-être la veille du nouvel an), on nous
donna du champagne à boire et beaucoup
de garçons firent semblant d'être gris afin
de pouvoir crier plus fort. Pour ma part,
je n'avais bu qu'un peu de ce vin au fond
d'un gobelet et ne m'en ressentais aucunement, pas plus que mon voisin de gauche
qui me souhaita une bonne année et me
fit un sourire de ses belles dents blanches
et régulières. Que se passa-t-il dans ma tête
à ce moment-là ? Pour faire le fou comme
les autres, pour montrer que j'étais *comme
les autres,* je profitai de ce que mon voisin
inclinait sa tête blanche pour verser sur sa
nuque les quelques gouttes de champagne
qui restaient dans mon gobelet. Je vis les

gouttes rouler par l'ouverture de son col. Il
tressaillit et releva la tête qu'il tourna de
mon côté : « Pourquoi avez-vous fait cela ? » demanda-t-il à mi-voix. Son regard était
si triste que j'en fus bouleversé. D'un trait,
je lui répondis : « Je ne sais pas, M. Clarke.
Je vous demande de me pardonner. » Il
s'essuya et me dit avec bonne humeur que
cela n'avait pas d'importance, mais je demeurai frappé de ma sottise. Sans doute
avais-je voulu me prouver à moi-même que
moi aussi je pouvais faire le diable, mais en
fait personne n'avait vu mon geste, personne
ne faisait attention à moi. Pour tous ces garçons à bonnes fortunes, je restais le *kid*. En
tout cas, c'était l'impression que j'avais et
elle ne laissait pas de m'humilier. J'étais tout
disposé à faire le mal, mais je n'en parlais
pas, quelque chose me fermant la bouche.

Plusieurs fois par semaine, comme en
France, on nous envoyait, seuls ou à deux,
aux postes de secours ou aux hôpitaux qui
pouvaient avoir besoin de nos services, mais
à cette époque, on ne se battait pas sur le
front italien. La grande poussée austro-alle-
mande avait été contenue et depuis l'automne, tout était calme. Pendant les cinq mois
que je passai en Vénétie, je n'eus à transpor-
ter dans mon ambulance qu'un soldat italien
qui souffrait de troubles nerveux. Cependant,
je reparlerai de ces choses un peu plus tard.

★

Un soir de janvier 1918, alors que j'entrais
dans la salle à manger, on me remit mon
courrier : deux lettres de Paris. Je reconnus l'écriture de mon père et me retirai dans
une autre pièce. Ces lettres, je les ai encore,
sages, tristes, résignées, avec leurs lignes bien
droites et leurs mots choisis avec soin. Ma
sœur Retta était morte, à l'hôpital de Neuilly. Elle avait beaucoup souffert, mais ne
s'était jamais plainte. Ses dernières paroles
avaient été une petite prière d'enfant, pleine
de confiance, la prière de l'enfant qui s'en-
dort. Parce qu'elle était morte au service
de la France, elle avait eu un enterrement
militaire. Des soldats français à l'église protestante de l'avenue de l'Alma...
Je sortis et fis le tour de la maison. J'entendais les garçons qui riaient et criaient
dans la salle à manger et pendant quelques
minutes, la vie me parut n'avoir aucun sens.
Retta avait vingt-deux ans. Pourquoi était-
elle morte ? Pourquoi elle qui n'avait jamais
fait que du bien ? Pourquoi était-elle venue
au monde si c'était pour le quitter si vite ?
Ces questions tournoyaient dans ma tête

et me laissaient douloureusement perplexe.
Où était la justice ? Où la bonté ? Je n'osai
accuser la Providence, mais je sentis quelque chose en moi chavirer. J'avais mal.
Rentrant chez moi, j'écrivis à mon père.
Peu à peu seulement, je me rendis compte
de l'étendue de ma souffrance. C'était en
vain que je me disais que la nouvelle était
fausse, que Papa s'était trompé. Elle était
vraie et elle me parut scandaleuse, oui,
scandaleuse, parce que ce n'était pas juste.
Je ne savais pas encore que toute mort est
un scandale, et quelque douleur que je res-
sentisse, je ne versai pas une larme.

Cette nuit qui apprit la mort de ma sœur
était une nuit d'hiver qui ressemblait à une
nuit de printemps. L'air plein de douceur
me caressait le visage et les mains, et au
plus fort de mon chagrin, je sentais le bonheur de mon corps. Avec cette lettre terrible
entre les doigts, j'étais heureux d'être en
vie. Si je ne le disais pas, je serais bien
hypocrite ou bien aveugle, mais je veux
aller plus loin : il y avait dans la nuit quelque chose de voluptueux qui grisait ma tristesse. Cela est difficile à dire et je m'ac-
cusai durement de manquer de cœur, ne
sachant pas que la vraie souffrance vien-
drait plus tard, lorsque j'aurais exploré cette
nouvelle dans toute son étendue. Alors seulement, je serais atteint, mais ceci est indiscutable, que la distance qui me séparait de

Neuilly atténuait la douleur. Lorsque je revins à Paris, ne voyant pas ma sœur, je crus vraiment et compris tout au fond de mon cœur qu'elle était morte, et ce fut alors que j'eus le plus de peine. Car enfin, qu'est-ce que c'était qu'une lettre, une petite lettre sur papier bleu pâle ? Ce ne pouvait être la mort. La mort, c'était l'absence, et l'absence, il fallait que je la touche et que je la voie pour y croire. Une lettre ne rendait pas ma pauvre sœur plus absente ce soir-là que la veille. Elle n'était pas près de moi le jour précédent, elle ne l'était pas moins ni plus aujourd'hui. Rien n'était changé ici. Les garçons riaient comme à l'ordinaire. Où était la mort ? La mort était inimaginable. Je pris mon deuil dans le silence. Pendant plusieurs jours, je n'ouvris pas la bouche.

Personne ne sut ce qui m'était arrivé. A qui l'aurais-je dit ? Je ne pouvais me confier à aucun de ces garçons, pas même à James, tout à ses amours malheureuses. Qu'est-ce que cela pouvait faire à qui que ce soit que ma sœur fût morte ? J'écrivis cependant au Père X. pour lui dire que Retta était maintenant au Paradis, mais sa réponse qui ne tarda pas me glaça : on pouvait *espérer qu'elle était sauvée*. La lettre me glissa des doigts.

★

Une fois par semaine, on m'envoyait dans mon ambulance à un endroit qui s'appelait Monastier-di-Treviso. Comme son nom l'indique, c'était un ancien couvent dont les moines, selon la rumeur, ne se conduisaient pas toujours très bien, du temps qu'ils habitaient ces lieux. J'ai souvenir de grands bâtiments sombres qui faisaient songer à un château-fort dans un bois. La cour très spacieuse était fort imposante, mais sévère, et il y avait une grande salle si haute de plafond et si obscure qu'on n'y voyait que près de la fenêtre, et c'était là, près de cette fenêtre, que j'étais invité à boire le café avec des officiers italiens, tous d'une grande politesse. L'un d'eux, grand, maigre, le menton bleu, frappait dans ses longues mains et appelait : « Fiordelmondo ! » Ce nom splendide, les hautes murailles de la cour se le renvoyaient à l'envi, et en temps voulu arrivait un soldat portant un plateau chargé d'une cafetière et de six ou huit tasses. De quoi parlions-nous ? Certainement pas de la guerre, qu'ils abominaient. Le grand officier maigre me dit un jour en français ce que faisaient les moines et je commençai par ne pas comprendre, ce qui était mon ordinaire, puis je me dis que ce devait être comme dans les contes italiens et j'en voulus un peu à cet officier, car il y avait toujours, quelque part au fond de moi, cette idée qu'un jour je serais moine, moi aussi, et je voulais être un bon moine.

Un après-midi que je me trouvais dans la cour à parler avec un soldat, un gros officier vêtu sans élégance s'approcha de moi. Son visage aux chairs molles était d'un jaune tirant sur le vert, et son expression un peu bougonne, mais il y avait dans ses yeux noirs quelque chose de si attentif qu'en le voyant, je me tus et m'éloignai de quelques pas. Il me rejoignit lentement, les mains dans les poches. A je ne sais quel détail, je devinai que c'était l'aumônier. Il me dit abruptement : « *Lei è buono.* »

N'est-il pas irritant d'avoir à écrire que je feignis de ne pas comprendre ? Je voulais, en effet, qu'il m'en dît plus. Des compliments, il me fallait des compliments, ma vanité ne s'en rassasiait pas. Il haussa les épaules avec impatience et répéta : « *Buono* » en se touchant le cœur et le front. Alors je le regardai d'un air poliment étonné et ne dis rien. J'étais si modeste... Un moment plus tard, cependant, comme je regrettai ma fourberie ! Cet homme se méprenait sur moi, il ne savait pas que je n'étais pas pur, que je me moquais de mes camarades, que je n'avais même pas pleuré quand ma sœur

était morte. *Buono,* vraiment ? Le visage de
ce vieux prêtre m'est revenu à l'esprit bien
des fois, comme celui d'un messager.

En quittant Monastier-di-Treviso, on passait, si je ne me trompe, le long d'une rangée
de peupliers tels que je n'en ai jamais vu
ailleurs, tant pour la grosseur de leurs troncs
que pour la hauteur prodigieuse qu'ils attei-
gnaient dans le ciel. L'hiver devait être fort
doux, car ils avaient conservé leurs feuilles
qui, jaunies par l'automne, faisaient de ces
arbres de gigantesques bougeoirs de cuivre,
et je pense qu'il y en avait trente.

Si forte était en moi la joie de vivre qu'elle
avait raison de toute tristesse et que je ne
pouvais me trouver seul sans que l'envie me
prît de chanter, comme dans mon enfance.
Sur les routes, dans mon ambulance, je me
livrais à ce plaisir au point de m'enrouer. Un
jour qu'il avait plu depuis fort longtemps, je
fus envoyé à je ne sais plus quel poste et découvris à mon ravissement que la campagne
environnante avait été inondée au point que
les routes même étaient recouvertes d'une
mince couche d'eau. La terre devenait un
vaste miroir qui reflétait le ciel. Il me sembla
que j'étais au milieu d'un rêve dont je ne
m'éveillais pas. Je ne sais quelle volupté il
y a à rouler dans de l'eau quand on est sur
le sol, mais cette expérience m'enchanta, et
plusieurs fois dans la suite des années, j'ai
fait le songe que je courais à la surface d'une

eau claire et transparente. J'aurais crié de
bonheur, comme si, dégagé du poids de mon
corps, j'avais été transformé en esprit ne
gardant de sa chair qu'une apparence. Bien
entendu, je saluai l'inondation de tous les
chants qui me passaient par la tête.

Deux ou trois fois par semaine, je recevais
la permission ou l'ordre, de me rendre à
Mestre, mais rien de cette ville ne m'est
resté dans la mémoire (elle a été bombardée
par l'oubli) sinon la gare dont je reparlerai
plus tard et une grande place au bout de
laquelle se trouvait un kiosque à journaux.
Si je me souviens de ce kiosque, c'est que
j'y achetais par poignées de quatre ou cinq
à la fois des romans français dans une col-
lection illustrée, à 95 centimes. J'en lisais un
par jour, ni plus, ni moins. Aujourd'hui, je
me demande ce que j'y trouvais de si passionnant. Principalement, je suppose, des
raisons de ne plus croire au péché. C'était
pour moi tout l'enseignement des naturalistes
et des romanciers qui les suivirent. De toutes
ces histoires d'adultères, de liaisons et de
passades, que je comprenais, du reste, de

travers, je tirais la conclusion que l'amour physique était la grande affaire de la vie et que le catéchisme, selon beaucoup de messieurs très intelligents et très doués, était bon pour les femmes, les enfants et les demeurés. « Si tu ne portais pas des jupes, quelle belle paire de soufflets sur ta face de prêtre ! » Ainsi parlait un personnage de Maupassant à un ecclésiastique qui lui avait fait manquer un rendez-vous avec une jolie femme. Cette phrase me fit tressaillir et je ne l'oubliai pas. Ailleurs, les gens pieux faisaient figures d'imbéciles. On ne pouvait que les plaindre et sourire d'un air apitoyé en parlant d'eux. Voilà donc l'aspect que prenait la religion aux yeux du monde, et pour le monde la volupté et la réussite comptaient seules, mais je n'avais des deux qu'une idée confuse. Par exemple, là où l'on attendait des renseignements utiles sur les plaisirs de la chair, l'auteur se taisait comme s'il allait de soi que tout le monde savait, mais je ne savais pas. Les dessins érotiques que j'avais vus en 1916 ne semblaient pas faire partie du même univers que celui de Maupassant, des frères Goncourt et de Zola. Quand l'un d'eux écrivait, je ne sais plus lequel : « Il la posséda sur le plancher », je me demandais ce que posséder voulait dire. Je n'étais pas plus avancé lorsque Claude Farrère se servait du mot stupre. Ces savantes cochonneries gardaient pour moi leur mystère.

J'étais déçu et un peu triste. Je sentais que je n'étais pas encore un homme, puisque je n'avais pas fait ces choses.

De la chambre où je lisais ces livres, je voyais la route sur laquelle passaient quelquefois des femmes enveloppées d'immenses châles noirs dont les franges leur caressaient les chevilles. « Est-ce là ce qu'on appelle des belles femmes ? » me demandais-je. Elles allaient comme des statues dans un rêve, et ne s'arrêtaient pas. Faisaient-elles le mal ? Mais à quel moment la volupté entrait-elle en jeu, car enfin, elles avaient l'air si digne et si sévère qu'elles excluaient l'idée d'un plaisir désordonné. Faisait-on basculer ces statues pour les posséder sur le plancher ? Peut-être d'autres romans me diraient-ils comment tout cela se passait, mais j'avais beau me procurer celui-là, et celui-là, et celui-là encore, Signora, ils étaient tous aussi obscurs.

★

Il manquait une table à ma chambre. Je m'en achetai une à Mestre. Elle était assez grande pour y poser un livre et les deux coudes. Or, je pris l'habitude, entre mes lectures, de faire dans ce meuble des entailles

avec mon canif. Le bois était tendre et cédait
vite. J'abîmai la petite table. Un camarade
me le fit remarquer et je répondis briève-
ment qu'elle était à moi. Je pouvais même
dire que je la possédais. Pourquoi agissais-je
ainsi ? Ces entailles m'horrifiaient. On eût dit
qu'un animal avait rongé tout un côté de la
table, mais il y avait en moi quelque chose
qui me poussait irrésistiblement à la mutiler.
La langue entre les dents, je faisais voler les
petits copeaux avec un plaisir rageur.

Quant aux romans, avec leurs illustrations
grisâtres, je crois que je les rangeais dans
le fond de l'armoire à glace. Il est temps que
je parle de cette armoire.

Je pense que ce dut être en février. Il y eut,
en effet, vers ce moment-là, quelques jours
d'une douceur printanière. Rentrant dans ma
chambre, une nuit, après dîner, l'idée singulière me vint subitement de me regarder nu
dans la glace de mon armoire. Jamais je ne
l'avais fait. Il est à peine croyable qu'à dix-
sept ans je n'eusse qu'une conception assez
vague de l'aspect que je pouvais avoir *in na-
turalibus*. Je connaissais le détail, non l'ensemble. C'est à cela que je puis juger de la
force de ma première éducation qui mettait
la vue de la nudité sur le même plan que
celui de l'impureté. Or, on ne peut se voir que
si on prend un peu de recul, autrement on n'a
de soi que l'impression qu'un peintre aurait
de son modèle si celui-ci s'asseyait sur ses

genoux ! On me dira que je ne n'étais pas curieux, et il est vrai que je n'étais curieux que
de mon visage. Le corps humain ne m'intéressait pas. Je n'avais pas regardé mon beau-
frère lorsqu'il m'avait obligé à plonger avec
lui dans la mer, parce qu'on ne devait pas
regarder une personne nue. Ajoutons à cela
que l'envie m'en faisait totalement défaut.
Des compositions de l'Albane et de Giulio
Romano, je retenais surtout l'expression des
visages, expression qui, du reste, si j'ai bon
souvenir, n'exprimait rien du tout, sinon un
léger ennui. Quoi qu'il en soit, cette inspira-
tion me vint tout à coup et j'eus nettement
la certitude, en ôtant mes vêtements, que
je commettais une faute.

Le cœur me battait à grands coups et par
une de ces ruses que nous employons avec
nous-mêmes, je me demandai pourquoi,
comme si je n'avais pas su ce que je me proposais de faire. Est-ce que je ne me déshabillais pas tous les soirs ? Mais cette fois
j'avais peur de chacun de mes gestes.

Lorsque je fus complètement nu, je tournai hardiment les yeux vers la glace et mes
craintes s'évanouirent. A l'espèce de terreur
qui flottait autour de moi succéda une tranquillité singulièrement profonde. Pour la
première fois de ma vie, je regardai la nudité
d'un être humain et cet être était moi. Une
joie étrange s'empara de toute ma personne,
je vis que j'étais mince et robuste, mais je

ne le vis que dans un éclair, car une force
irrésistible me jeta en avant et je me trouvai
le corps presque tout entier collé à la glace.

Le froid de cette grande surface me fit
l'effet d'un broc d'eau qu'on m'eût lancé au
visage et je m'écartai immédiatement, effrayé
à présent de ce que je venais de faire, non
plus à cause du péché que je croyais avoir
commis, mais bien parce qu'il me paraissait
que j'avais agi comme un fou et que peut-
être j'étais fou comme mon oncle Willie. Je
me glissai sous mes couvertures et éteignis
comme pour effacer avec de l'ombre cette
scène inquiétante. Ce qui me troublait le
plus, ce que je ne pouvais abolir de ma
mémoire était que j'avais posé mes lèvres
sur mes lèvres, et j'avais beau me dire que
ce n'était pas vrai, je savais que je l'avais
fait.

A la distance de bien des années, ma conduite de ce soir-là ne me paraît plus si
étrange. Quel être humain n'a agi comme
moi, à un moment ou l'autre de sa vie, sinon
de cette manière-là, tout au moins d'une
autre qui lui ressemble ? Je me rappelle
que me voyant nu, j'eus une seconde ou deux
de stupeur qui me firent ouvrir la bouche.
A dix-sept ans, le corps est à peu près tel
qu'il doit être et je n'en avais jamais vu un
seul de cet âge, dépouillé de ses vêtements.
Je me ressouvins des statues du Louvre que
ma mère me montrait et dont la beauté devait

m'être funeste. Ce n'était pourtant que de la pierre, alors que cette matière beaucoup plus mystérieuse, la chair, s'offrait à mon admiration, ma chair à laquelle, me disais-je, personne ne devait jamais toucher. Se mêla-t-il du bien à tout cela ? Je ne le sais pas, mais je pense que oui. Je perçus vaguement que la chair n'était pas maudite, mais qu'il y avait sur elle une bénédiction redoutable qui excluait le désir.

Or, je ne savais pas bien ce qu'était le désir. Je l'avais oublié depuis mon enfance. A cette époque, je l'avais douloureusement éprouvé, comme je l'ai raconté ailleurs, mais en février 1918, je remarquais à peine ce qui différenciait une personne d'une autre et nul être n'était capable de me faire souffrir par les sens. De la volupté maîtresse du monde, sauf la minute vertigineuse de janvier 1915 et cette joie fulgurante que je ne retrouvai plus, je ne connaissais rien que ce qu'en disaient les romanciers, race imaginative.

★

Ce fut vers cette époque que l'on nous accorda la permission d'aller passer une journée à Venise, par petits groupes de trois

ou quatre. Je m'arrangeai pour être seul et
dès que j'eus mis le pied sur la place Saint-
Marc, je crus que j'allais perdre la tête. Rien
au monde ne m'avait paru aussi merveilleusement beau que cette ville qu'on détruira un
jour, justement parce qu'elle est trop belle.
L'air était tiède et je voyais tout dans le
poudroiement d'un soleil vainqueur. De rue
en rue, j'allais comme un être halluciné,
tenant des doigts un plan dont je ne me
servais pas, car j'aimais mieux me perdre, et
de toutes ces allées et venues je n'ai conservé
qu'un souvenir d'étourdissement. Douze ans
plus tard, je devais revoir Venise, mais ce
n'était plus la même ville, parce que je
n'étais plus la même personne. A 28 ou 29
ans, je pouvais rester le temps qu'il me plaisait, consulter des guides, me promener en
gondole jusqu'à l'ennui. Hélas, je n'étais plus
fou, ni pauvre, ni contraint de rentrer avant
la nuit sous peine de sanction. En cette journée de 1918, je m'enivrai de tout ce que
voyaient mes yeux, sauf des visages auxquels
je ne prêtai nulle attention. Dans la pénombre dorée de Saint-Marc, je retrouvai la
ferveur d'autrefois, d'un seul coup, pour
quelques minutes, mais dehors je me sentais
rendu à la magie du monde. Le monde n'était
pas ce lieu sinistre et dangereux dont parlait l'*Imitation;* à Venise, le monde chantait
la gloire du monde et le cœur n'y battait que
de bonheur.

Quand je regagnai ma chambre, ce soir-là, je n'eus pas un regard pour l'armoire à glace. Me jetant à plat ventre sur mon lit, j'enfouis mon visage dans mes bras pour retrouver au fond de mes yeux fermés la splendeur perdue. Elle avait fui pour toujours. Il n'y aurait plus jamais ce premier moment. Je ne le savais pas, je ne savais rien.

Si ébloui que je fusse par Venise et tout enivré d'art et de poésie, je dus malgré tout mettre le nez dans un magasin ou deux, et comme eût dit le Père X., je ne laissai pas que d'entrer dans une librairie et d'y acheter une traduction anglaise du *Décaméron*. Toujours Boccace. Or, il y a ceci de particulier dans ce petit fait, c'est que je ne le croirais pas et l'aurais oublié si je n'avais sous les yeux l'exemplaire en question. L'édition est celle de *Chatto and Windus*, reliée en cuir rouge (je n'étais donc pas tellement pauvre, mais il est vrai que toute ma paie passait en livres et que cet argent dépensé, je n'avais plus rien). Sur la page de garde, je vois ma grande écriture d'alors, un peu désordonnée, vaniteuse

— ces majuscules ! — agressive : Julian
Green, Venise, 1918.

L'impression que fit sur moi une nouvelle
lecture de ce livre ne m'est pas restée dans
l'esprit, sinon que je trouvai assez ennuyeuse
l'histoire de la patiente Griselda qui termine
le recueil, mais je me rappelle fort bien qu'un
jour, George Dresser me voyant ce livre sous
le bras et apprenant que c'était Boccace,
poussa une exclamation retentissante et,
m'empruntant le volume en question, annonça
à nos camarades qu'il allait leur lire un des
passages les plus échauffants de ce chef-
d'œuvre qu'il connaissait bien.

Ici entre en scène la célèbre hypocrisie
anglo-saxonne. Les pages furent tournées
d'une main impatiente. Arrivent enfin celles
qui allaient être offertes en régal à tous.
Oh, rage et déception ! Le traducteur épou-
vanté les avait laissées en italien. Je les avais
lues comme du français, car si je parlais
incorrectement l'italien, je le lisais avec une
extrême facilité, mais cela, je me gardai bien
de le dire, et Dresser me rendit le livre en
me disant que cette traduction ne valait rien.

Ce qui mit le comble à son dépit était une
petite note au bas de la page expliquant
que Boccace décrivait ici une cérémonie magique trop compliquée pour qu'elle pût intéresser un lecteur anglais et qu'il valait mieux
laisser tout cela dans l'original. « Une cérémonie magique ! » rugit Dresser. « Il s'agit

de mettre le diable en enfer, et vous savez ce qu'il entend par là ? » Il nous l'expliqua et je rougis, parce qu'à présent je ne pouvais plus ne pas comprendre. Pauvre Dresser ! Comme il riait malgré sa déconvenue ! Je ne me serais pas souvenu de ces choses si ce volume ne me les avait remises en mémoire, et je revois le grand garçon rose et vainqueur, avec ses yeux d'un bleu éclatant et ses mèches dorées et batailleuses sur son petit front buté. Encore trois ou quatre mois de bonne humeur, de rires, de chansons, de grands coups de poing sur la table, de beuveries, d'amours, et il allait mourir dans les flammes, sur la Somme.

Vers le début de mars, une permission de dix jours nous fut accordée à tous. Nous pouvions la passer où bon nous semblait. Le gouvernement italien nous offrait le billet. Je choisis d'aller voir ma sœur Eléonore à Gênes et m'y rendis l'esprit fraîchement ré-empoisonné par Boccace.

A Gênes, il faisait froid et le vaste et tragique paysage qu'on voyait de l'appartement de ma sœur me parut plus beau encore que la dernière fois et tout à fait en accord avec ce que je trouvais de grandiose et de romantique en moi-même. Ces nuées sombres déchirées par le vent au-dessus des collines noires, je les comparais à mon tourment intérieur. Et qu'est-ce qui me tourmentait donc ? Rien, à vrai dire. Une certaine curiosité à l'égard du plaisir que je ne connaissais pas me prenait quelquefois, quand j'en entendais parler ou que je lisais un mauvais livre, mais d'une façon générale, ma nature était calme. A certains moments, j'étais impatient de *savoir*, mais je ne souffrais pas. Tout sommeillait encore en moi. Cependant, il me fallait un tourment intérieur pour me grandir à mes propres yeux. J'imaginais de nobles tristesses. Le souvenir des Nocturnes que me jouait Mademoiselle Jeanne alimentait parfaitement une mélancolie dont j'étais fier. Oh, la sottise de cet âge ! Le Père X. m'écrivait vers cette époque : « Pour Dieu, mon ami, cessez de broyer du noir. » Il ne se rendait pas compte que je voulais être un grand poète malheureux. Cela n'empêchait pas, du reste, des accès de gaieté subite et beaucoup plus sincère. J'écrivais beaucoup, je commençais des romans que je ne pouvais finir et où la tendresse, la volupté et le deuil de l'âme se partageaient l'ouvrage. Je caressais le désespoir. On se jetait sous des locomotives comme dans *Anna Karénine*. On se gorgeait de poison comme dans *Madame Bovary*. On s'étreignait aussi comme dans Maupassant, mais là j'étais plus vague, et puis, il faut bien le dire, je me sentais retenu par une invincible horreur d'écrire des choses inconvenantes. C'est compliqué, un garçon vierge.

Je me demande si je ne dis pas ces choses pour reculer le moment le plus difficile de

cette confession. Il faut pourtant en venir à
bout. Pour des raisons que j'ai oubliées, ma
sœur dut s'absenter un jour ou deux et je
restai seul dans la grande maison avec mon
beau-frère que je voyais aux heures des
repas. Encore ne rentrait-il pas toujours pour
dîner, ce qui fait que je dînais seul. La
belle Teresina me servait à table et le *signorino,* comme elle m'appelait, se montrait
d'une gravité exemplaire. Je regrettais parfois de ne pouvoir me rendre à Nervi pour
aller jeter un nouveau coup d'œil dans la
bibliothèque de M. Kreyer, mais la proprié-
taire de la villa ne s'y rendait qu'en été.

Or, quand je dis que je me trouvais seul
dans la maison, cela n'est pas tout à fait
vrai. A part Teresina et la cuisinière, qui se
couchaient tôt, il y avait une autre personne,
une demoiselle nommée Lola.

Je me rends compte que ce récit prend un
faux air de Casanova, mais je n'y peux
rien. Etrange Casanova, on le verra. La
demoiselle en question était la secrétaire
de mon beau-frère et un soir — pourquoi ?
je n'en sais rien — il fut décidé qu'elle passerait la nuit chez nous au lieu de retourner
chez ses parents comme elle aurait certainement dû le faire, mais peut-être étaient-ils
absents. Il devait y avoir une raison. Quoi
qu'il en soit, elle dîna avec moi (aucun souvenir précis) et on lui dressa un lit dans une
pièce attenant à la salle à manger. Mon

beau-frère ne devait rentrer que plus tard.
Lola était sérieuse et tout le monde savait
que le *signorino* était lui aussi très sérieux,
trop peut-être.

Je ne sais pourquoi on fait confiance aux
gens sérieux. Ils sont quelquefois plus dangereux que les autres. Souvent, ce sont des
enragés. Lola était jolie, quoique fort pâle,
avec une figure ronde et de beaux yeux. Sans
doute avait-elle mon âge ou un an de plus.
L'idée de faire avec elle ce que faisaient les
personnages de Boccace me vint tout à coup
et me foudroya de plaisir. Ce fut après dîner,
je crois. J'admirai que tout fût si propice.
Les domestiques n'étaient plus là, Lola s'était
retirée dans cette pièce que j'ai dite. Il fallait attendre qu'elle se mît au lit, puis entrer
chez elle et me conduire à ma guise.

J'écoutai à sa porte, puis le moment venu,
sans hésitation, je frappai. Elle crut sans
doute que c'était Teresina et me dit d'entrer,
mais quand elle me vit, elle parut agitée
d'une grande frayeur, car elle était couchée,
en effet, et ramena le drap sur sa poitrine.
Je m'assis aussitôt sur le bord de son lit de
telle sorte que je n'avais qu'à me pencher
pour l'embrasser. Est-il nécessaire de rappeler que j'étais en uniforme ? L'uniforme
produisait toujours un certain effet en ce
temps-là et je comptais dessus. Du reste, ma
vanité était telle que je ne me figurais pas

une seconde que cette jeune fille pût se refu-
ser à moi.

Elle me reprocha d'être entré ainsi chez
elle, mais assez mollement. Je lui fis des
compliments et lui demandai si cela lui dé-
plaisait si fort de me voir à côté d'elle. Non?
Pourquoi ? Elle me répondit en me passant
la main sur la joue : « *Perchè ti voglio
bene.* » (« Parce que je t'aime bien. ») La tendresse avec laquelle elle me dit ces paroles et
d'autres encore aurait dû me faire réfléchir,
mais j'étais brutal, égoïste et orgueilleux. Je
pris le drap qu'elle tenait des deux mains,
mais pas très haut, pas assez haut, et je lui dis
que je voulais la voir entièrement nue. Elle
se débattit un peu. J'étais sûr qu'elle finirait
par céder et que tout se terminerait comme
dans les livres, comme dans Boccace, mais il
se passa quelque chose que je ne prévoyais
pas. Nous entendîmes tout à coup un bruit qui
nous glaça d'horreur : la porte de l'anti-
chambre venait de s'ouvrir. C'était mon beau-
frère qui rentrait. J'eus le temps de dire à
Lola : « Je reviendrai tout à l'heure quand
il sera couché. » Elle porta les doigts à ses
lèvres et je disparus.

Je disparus avec une rapidité fabuleuse.
Aujourd'hui encore, je me demande comment
j'eus le temps de gagner ma chambre, d'arracher mes vêtements et de me glisser dans
mon lit si vite que lorsque mon beau-frère
entrouvrit la porte, quelques secondes plus

tard, il me trouva pelotonné sous mes couvertures et apparemment endormi.

Refermant la porte, il gagna sa chambre
qui était contiguë à la mienne et je l'entendis aller et venir pendant un moment. Le
bruit des chaussures qu'il ôtait m'apprit que
je n'aurais plus très longtemps à attendre
pour aller retrouver Lola, mais d'un seul
coup, comme sous l'effet d'une drogue, je
tombai dans un profond sommeil dont je
ne m'éveillai que le lendemain matin, vers
huit heures.

★

Je ne puis me souvenir de mes sentiments
à mon réveil, ce jour-là, mais j'ai l'impression qu'ils furent d'une totale indifférence.
Il me serait agréable d'écrire que je fus la
proie d'une rage sans nom, car je reconnaî-
trais alors un sentiment naturel, humain, or
je n'étais pas toujours humain. Fasciné par
ma propre personne, je n'arrivais pas à sortir de la prison que je m'étais faite sans le
savoir.

Ce que je ne puis taire, c'est que ce lourd
sommeil dans lequel je tombai changea probablement le cours de ma vie. Il me paraît

clair aujourd'hui que si j'avais pu agir à
ma volonté avec Lola, je ne serais peut-être
pas la même personne, mais il n'est pas encore temps de parler de ces choses qui ne
se décidèrent que six ans plus tard. Lola
était-elle vierge ? J'ai des raisons de croire
que non. Elle m'eût révélé un monde que
je ne connaissais pas, au lieu de quoi, je
fus rejeté en moi-même pour toute une partie de ma jeunesse.

Et Lola, que pensait-elle de moi ? Elle est
morte. Je ne le saurai jamais. Le lendemain
ou le surlendemain, je la rencontrai dans une
rue qui longeait en contrebas la via Assa-
rotti. Sans doute cette jeune fille m'avait-elle
trouvé bien hardi, et peut-être aussi suppo-
sait-elle que je devais avoir eu bien des aven-
tures. Si elle avait su, quel étonnement !
J'allai droit vers elle et lui fis des compliments : « *Come sei bella oggi !* » (« Comme
tu es belle aujourd'hui ! » Mon italien n'allait
pas beaucoup plus loin). Elle me reprocha
doucement ma conduite de la veille ou de
l'avant-veille et me dit, je m'en souviens, que
je ne pensais qu'à des *cose indecente*. Je lui
répondis bonnement qu'elle n'avait pas tort.
Elle rit, m'appela *cattivo* (méchant garçon),
mais je vis bien qu'elle ne m'en voulait pas,
car elle me demanda si nous allions nous revoir. « Certainement, lui dis-je en vrai petit
reître que j'étais, et nous ferons ces choses
dont vous parliez tout à l'heure. » De tout le

reste de la conversation je n'ai rien retenu.
Je ne puis même pas dire si elle me demanda
pourquoi je n'étais pas revenu lui tenir
compagnie (c'était l'expression dont elle
s'était servie quand je m'assis près d'elle sur
le lit), mais je revois la rue basse, la fille au
teint de lait, comme je les reverrai sur mon
lit de mort, s'il est vrai que notre vie entière
repasse devant nos yeux dans tous ses détails
avant que nous quittions cette terre.

En fait, je ne devais plus jamais rencontrer Lola. Je suppose que ma permission
expirait. Quelques mois plus tard, ma sœur
Eléonore m'apprit incidemment que cette
jeune fille avait cessé de venir à la maison
et cherchait un autre emploi. « Pourquoi
est-elle partie ? » demandai-je. « Elle a fait
une réponse curieuse. Elle a dit qu'on ne
l'aimait pas assez. » « Amoureuse de moi »,
pensai-je avec ma modestie habituelle.

Ici, j'ouvre une parenthèse. Le vieux singe
qui écrit ces souvenirs insinue à plus d'une
reprise qu'il était beau et faisait çà et là de
petits ravages dans les cœurs. Je dis bien
qu'il l'insinue, parce qu'il mesure le ridicule qu'il y aurait à se présenter en Don
Juan. Une mise au point est nécessaire. Je
connaissais plusieurs garçons de mon âge
qui me paraissaient incontestablement mieux
que moi, par exemple, Roger à Paris. Pour
ma part, je me trouvais beau de face et
vilain de profil. De plus, mes cheveux étaient

noirs. Or cette idée était bien solidement ancrée dans ma tête qu'on n'était vraiment beau que si l'on était blond. Roger constituait à lui seul une splendide exception, mais je considérais avec ravissement mes yeux que je jugeais admirables et ma bouche bien dessinée, bien qu'elle fût pulpeuse alors que j'eusse préféré une belle bouche ascétique. Impossible d'expliquer ces folles contradictions : je voulais être tout à la fois un dieu grec et un saint catholique. Vraiment j'étais un peu fou sous un aspect raisonnable et sérieux. Enfin, par la grâce du Ciel, j'avais un teint agréable et un corps sain et vigoureux, mais des jambes non tout à fait droites, ce qui me rendait parfois timide. Enfin, je recevais des compliments dont je tenais mentalement le compte. Voilà pour le ridicule dont nous ne parlerons plus. Je crois qu'il y a moins d'hypocrisie à dire ces choses qu'à laisser croire ce qui n'est pas tout à fait vrai. Sans être un Apollon, j'attirais, c'est tout.

J'attirais parce que j'étais jeune et paraissais plus jeune encore, mais ce n'est que par le souvenir que je m'aperçois de cet attrait que j'exerçais sur certaines personnes, ainsi que je l'expliquerai plus tard. Pour ce qui est de mes yeux, s'ils étaient beaux, je puis en dire de même de bien d'autres que les miens. Quel est le visage de dix-sept ans, si banal soit-il, que ne rachète la merveille

que sont les yeux de l'homme ? Je me
demande si dans tout l'univers il existe quelque chose qui puisse s'y comparer, quelle
fleur, quel océan? Le chef-d'œuvre de la
création est peut-être là, dans le brillant de
ces couleurs inimitables. La mer n'est pas
plus profonde. Dans ce gouffre minuscule
transparaît ce qu'il y a de plus mystérieux
au monde, une âme, et pas une âme n'est
parfaitement semblable à une autre. En ce
sens, chaque âme est unique. De là vient la
fascination que peut exercer une prunelle où
se lisent tant de choses et où tant d'autres
demeurent à jamais secrètes.

J'oubliai Lola avec une facilité qui me con-
fond, car dès que je cessai de la voir, elle
n'exista plus pour moi, elle aurait pu aussi
bien n'avoir jamais été et ce fut pourtant
avec elle que j'avais commis sans doute la
plus grave de toutes mes fautes, mais je ne
devais pas avoir la conscience bien délicate,
parce qu'il me fallut de longues années pour
éprouver le remords de ma conduite.

Un garçon plus ardent que moi eût eu des
réactions différentes, mais j'étais d'un tempérament bizarre, un instant chaud et l'autre
froid, et j'ignorais ma vraie nature. La veille
de mon départ de Gênes, mon beau-frère
me mena au théâtre pour entendre *La
Bohème*. Ce choix me parut le fait d'une
intelligence primaire et je méprisai secrètement cet homme, comme j'en méprisais tant

d'autres sous des airs de tranquille bienveillance. J'écoutai donc, poliment. A l'en-
tracte, nous sortîmes. La nuit était douce et
des prostituées allaient et venaient avec lenteur devant le théâtre. Mon beau-frère me
fit un clin d'œil et comme une de ces femmes passait près de nous, il dit : « Bonsoir
Mimi. » (Mimi comme dans *La Bohème*.) « Il
la connaît donc », pensai-je naïvement. Et
l'idée me traversa l'esprit que me devinant
vierge, il voulait me fournir l'occasion de ne
l'être plus. Mon esprit travaillant avec une
vitesse inaccoutumée, je me figurai que ce
n'était pas par hasard que je m'étais trouvé
seul avec Lola. Cette intuition fut si forte que
j'ai du mal à l'écarter aujourd'hui encore. Se
pouvait-il qu'il eût tout machiné ? Je ne puis
que me poser la question. Quoi qu'il en soit,
je feignis de ne pas remarquer les œillades
frénétiques que me lançait la péripatéti-
cienne. Sans doute le souvenir de mon oncle
Willie me revint-il à l'esprit. Je ne voulais
pas finir comme lui. Avec un sourire de faune
et un très léger bégaiement qui lui était habituel, mon beau-frère me dit enfin qu'il était
temps de regagner nos places si nous voulions
voir Mimi, l'autre, la vraie, s'en aller de la
poitrine.

Quel homme étrange me paraissait-il ! A
mesure que je grandissais, il se montrait avec
moi d'une grande politesse. Il ne se moquait
plus de mon visage et n'avait plus lieu de

me reprendre en anglais, mais je crois deviner maintenant que mon innocence prolongée
ne lui semblait pas de bon augure et qu'il
aurait voulu me pousser discrètement entre
les bras d'une femme. Je ne comprenais pas,
et puis j'avais cette idée que toutes les femmes de la rue portaient les germes d'une
maladie que je ne voulais même pas nom-
mer, la maladie de mon oncle.

★

Est-ce que je faisais mes prières? Est-ce
que j'allais à la messe? Est-ce que je lisais la
Bible? A aucune de ces questions je ne puis
répondre avec certitude. J'ai oublié. Quand je
revins à Roncade, le printemps commençait
dans toute la Vénétie, les buissons verdis-
saient, l'air était tiède et l'on entendait, la
nuit, le chant des rainettes. On eût dit que sur
cette partie du monde, il soufflait du bonheur
et j'en avais ma part. Chaque heure m'apportait sa joie, je chantais sur les routes, mais
que chantais-je ? Ai-je pu l'oublier ? Les
vieilles hymnes catholiques dont je me grisais
jadis, rue Cortambert, le *Jesu dulcis memoria*,
et aussi, cela ne fait aucun doute, les cantiques protestants que nous chantait ma mère

d'une voix incertaine et en marquant du pied
la mesure. Je me flattais, moi, de chanter correctement et même bien. Est-ce que je ne
faisais pas tout bien ? Ma vanité était extrême
et le vice ne demandait qu'à s'épanouir dans
ma vie, mais il reste ceci de vrai que je chantais des hymnes et des cantiques.

J'ai omis de dire qu'à mon retour de Gênes,
j'arrivai à la gare de Mestre au milieu de la
nuit et qu'il me fallut attendre jusqu'au lendemain matin la voiture qui me mènerait à
Roncade. Ne sachant que faire de mon temps,
je m'étendis sur une banquette de bois dans
la gare, et me couvrant de mon manteau
je m'endormis d'un très profond sommeil.
Quand je me réveillai, j'entendis un employé
qui riait et me demandait si j'avais passé
une bonne nuit. « Mais oui.. » « Vous n'avez
rien entendu ? » « Non, rien. » Il m'apprit
alors que les aviateurs autrichiens avaient
tenté de démolir la gare à coups de bombes,
mais qu'ils n'avaient réussi qu'à atteindre la
voie ferrée à quelque trente mètres de là. Je
n'avais jamais mieux dormi pourtant. Dire
que le canon ne m'eût pas réveillé n'est pas
une exagération.

La joie de vivre, l'ai-je jamais plus vivement ressentie qu'en avril et mai 1918 ? Il y
avait la guerre. Je n'y pouvais rien. Je riais
tout seul de bonheur. J'étais surexcité par de
mauvaises lectures, mais je ne crois pas du
tout avoir versé dans l'impureté charnelle.

Sur ce point ma mémoire ne me tromperait
pas. Tout se passait, me semble-t-il, dans
ma tête et n'en était que plus dangereux. Je
me souviens qu'un jour, je me jetai sur ma
table pour y écrire des pages d'une obscénité
maladive. C'était un conte dont une seule
phrase m'est restée dans l'esprit. Cette phrase
ne se rattachait à rien de ce que j'eusse jamais
lu et je ne sais comment je la trouvai tout
à coup sous ma plume, mais elle était si bien
tournée, si pleine de sens, et en même temps
elle me parut si belle que j'éclatai de rire.
Je courus me regarder dans la glace et tou-
chai mon visage, je n'avais pas un seul poil
au menton, j'étais lisse comme les statues
dans les musées, je redis ma phrase en obser-
vant le mouvement de mes lèvres : c'était
ainsi quand on disait ces mots, la bouche
remuait de telle façon. Jamais je n'avais
dit des choses de ce genre, et j'eus l'impression que dans le silence frappé par ces sons,
il y avait des vibrations autour de ma tête.
Et où avais-je entendu ces mots que je
croyais avoir si merveilleusement assemblés ?
Au lycée, je pense. Je sentis une sorte
d'ivresse s'emparer de moi. Avec des mots,
je pouvais faire ce que d'autres ne pouvaient
pas faire. J'écrivais des phrases et quelque
chose se mettait à vivre autour de moi. La
bibliothèque magique de M. Kreyer s'animait
dans ma solitude, mais il ne s'agissait plus de
gravures sur du papier : le sang courait sous

la peau, la chair vivait. En une seconde, je rejoignis les hallucinations de ma sixième année et le mal se glissa dans mon cerveau comme dans les couloirs d'un palais dont il avait retrouvé le chemin. Peut-être n'y a-t-il pas eu dans ma vie de minute plus décisive. Je ne me livrai à aucun des gestes qu'on aurait pu attendre. L'effrayante joie demeura intérieure.

J'eus l'impression, ce jour-là, qu'en traçant la phrase que j'ai dite quelqu'un de plus fort que moi me tenait la main pour la guider, mais je n'eus pas peur. Bien au contraire, j'exultai, j'éprouvai cette satisfaction mystérieuse que donne le sentiment de la puissance. Après tant d'années, je me revois, la tête sur la table et riant tout seul. Si j'avais su ce qui se passait autour de moi, je me serais mis à genoux, mais il n'était pas question de cela. J'étais redevenu païen.

★

Or, dans la maison que j'occupais, à Roncade, avec cinq ou six hommes, il y avait eu en mon absence un léger changement. J'occupais toujours la même chambre à moi tout seul, mais celle qui se trouvait de l'autre côté de la galerie (je ne puis l'appeler un couloir, elle était spacieuse) abritait à présent non pas deux hommes mais trois, ce qui donnait une impression d'encombrement. Une raison qu'on ne me dit pas expliquait ces choses. Le nouvel arrivant se nommait Jack et je sus presque aussitôt qu'il était fils d'un pasteur presbytérien.

Plus jeune que moi d'une année entière, il était en revanche d'une taille nettement plus haute et je fus immédiatement frappé par l'extraordinaire beauté de son corps qu'on devinait sous ses vêtements. Ses longues jambes ne pouvaient se comparer, j'en fis la réflexion par la suite, qu'à celles des personnages de l'école de Fontainebleau, tant par l'élégance que par la force. Toute sa personne à la fois svelte et robuste frappait d'admiration et il eût été parfait, me semblait-il, si sa tête eût été une idée plus grosse. Des cheveux d'un blond foncé lui dévoraient le front jusqu'à n'en laisser qu'une sorte de petit diadème blanc qui couronnait un visage d'ange rose aux lèvres charnues. Et voilà pour le positif. L'ombre au tableau, selon moi, était que ce garçon qui semblait avoir rangé ses ailes au fond de je ne sais quel placard, ne s'exprimait que de la façon la plus révoltante. Tout lui était bon pour dire des saletés dont je me rends compte aujourd'hui qu'elles témoignaient d'une innocence au moins égale à la mienne, car elles

n'intéressaient, si je puis dire, que la scatologie, une scatologie de bébé. J'ignore de quoi
il se débarrassait en parlant ainsi, un psycha-
nalyste pourrait le dire, mais j'entendais avec
horreur ces discours qui offraient à mon imagination des choses que je ne pouvais souffrir
et je fuyais Jack. Il était charmant et odieux.
Le cas était assurément étrange. Un jour,
cependant, quelque chose se passa. Je me
trouvai seul avec lui dans sa chambre. Il
était assis sur le lit de camp qu'on avait
placé de travers dans la pièce et il lisait
un petit livre noir. En me voyant il se leva.
Je ne suis pas sûr qu'il eût pour moi une
sympathie excessive. Il savait, en effet, que
j'étais catholique, bête curieuse. Par-dessus
le marché, je me trouvais être du Sud et lui,
comme tous les autres garçons de la section,
du Nord. Tous Yankees, sauf moi. Je lui demandai ce qu'il lisait et il me montra la
couverture du volume sur laquelle je vis
des caractères que je ne reconnus pas. « *Hé
kaïné diathéké,* annonça-t-il d'une voix clai-
ronnante et un peu nasillarde. » Et ouvrant
le livre, il continua : « *To kata Mathaïon
éouanghélion* ». (C'est du moins ce que je
suppose, car il lisait depuis le commence-
ment). Je demeurai interdit et il vit que
je ne comprenais pas. « *The Gospel of Our
Lord Jesus Christ* », fit-il en anglais. « Tu
lis le grec, Jack ? » « Comme de l'anglais.
Mon père me l'a appris. » « Tu peux ouvrir

ce livre au hasard et lire comme tu lirais
de l'anglais ? » Pour toute réponse, il ouvrit l'Evangile et lut quelques versets en
anglais, puis me montra le livre comme un
prestidigitateur fait voir ses cartes pour me
prouver qu'il ne s'aidait d'aucune traduction. Dans mon ébahissement, je dus rester
la bouche ouverte. « Un ange », pensai-je
en reculant d'un pas.

Ce jour-là, je ne lui dis plus rien et
regagnai ma chambre en silence. Que ne
puis-je me rappeler les réflexions que je fis
alors, mais tout cela m'a fui, sauf ce que
je viens de raconter.

Il y eut pourtant un autre jour. Levé tôt
comme d'habitude, je vis que la porte de Jack
était ouverte et risquai un coup d'œil dans sa
chambre. Il s'y trouvait seul, endormi. Ses
camarades faisaient leur toilette, mais Jack
vociférait d'une manière obscène quand on le
réveillait trop tôt et se lavait après tout le
monde. Je demeurai immobile sur le seuil et
le cœur me battit à grands coups. N'était-ce
pas un désir étrange que celui de me pencher
sur le dormeur et de poser ma joue sur sa
joue que le sommeil rendait encore plus rose
qu'à l'ordinaire ? Avec tout l'or de ses cheveux répandu sur l'oreiller et la ligne puissante de son long corps sinueux, il me parut
si beau que j'en éprouvai une joie mêlée de
frayeur, mais je ne pouvais m'expliquer
ni la joie, ni la frayeur. Certainement, il

était plus beau que moi, puisqu'il était blond. Je l'admirai de tout mon cœur. Aucune mauvaise pensée ne me vint à l'esprit, mais je dus faire un effort terrible pour m'arracher de cette chambre et quitter la maison. La frénésie des sens m'était encore étrangère, car j'avais sur ce point des dégoûts insurmontables. Il y aurait beaucoup à dire. La honte de l'humanité était, pour moi, tout ce qui se voyait dans la région du bas ventre, j'essayais d'oublier que cela existait, mais la beauté d'un visage me foudroyait. Je ne savais pas non plus que j'étais sans doute amoureux de Jack et que j'étais à tout coup guéri de cette passion par ses déclamations ordurières, mais ce matin-là, il se taisait, livré à mon regard et à cette chaste et ardente convoitise à laquelle je n'entendais rien. Pendant quelques minutes, je dus souffrir, et souffrir beaucoup, car je ne savais ce que je voulais; or, je voulais furieusement quelque chose, singulière torture qui me donnait envie de me rouler sur le sol.

Depuis ce matin-là jusqu'à mon départ de Vénétie, je crois bien que je ne dis pas quatre mots à ce garçon. Nous nous serrâmes peut-être la main le dernier jour, mais je ne le revis plus et comme dirait Pascal, en voilà pour jamais.

Trois mois plus tard, sur le front français, Jack eut la mâchoire emportée par un éclat d'obus.

★

Peu de temps après mon retour de Gênes,
un prêtre vint me voir dans ma chambre, un
petit aumônier italien en uniforme. Je ne sais
pourquoi il voulait me voir. Tout ce que je
puis dire, c'est que pendant quelques minutes,
nous parlâmes debout près de la fenêtre ouverte et qu'avant de me quitter, il me donna
deux petites brochures dont la première s'intitulait : *Confessatevi* ! et l'autre : *Communi-
catevi* ! J'en tournai quelques pages et les mis
de côté. Elles n'avaient pour moi que fort
peu de sens dans les dispositions où je me
trouvais alors.

Quelque chose me frappa cependant, un
jour que j'entendais deux de mes camarades
parler entre eux de leur permission qu'ils
avaient passée à Rome. L'un d'eux était allé
à Saint-Pierre. Il était protestant. Toute
cette richesse lui paraissait barbare et non
chrétienne, selon lui, l'encens, les chants
n'agissant que sur la sensibilité, non sur le
cœur et l'âme. Ces objections, je les connaissais et en d'autres temps, j'eusse répondu,
mais j'attendais la suite. « Il y avait beaucoup
de monde autour d'un confessionnal, chacun

attendant son tour. A mesure qu'il en sortait un, sa place était prise par un autre. Tout
à coup, j'ai vu Lodge qui sortait de derrière
le rideau. » Lodge était un grand garçon à
lunettes, le plus silencieux de notre section
et à qui je n'avais jamais dit qu'un mot ou
deux. Le récit m'intéressait. « Mon vieux,
tu ne l'aurais pas reconnu ! Il est passé près
de moi sans me voir, le visage rayonnant
de joie. »

Je reçus un choc intérieur et me levant
sans bruit, m'en allai. Pourquoi ne pas dire
les choses comme elles se présentèrent à moi ?
Je me sentis affreusement jaloux de Lodge,
le catholique. Envieux serait un mot plus
exact. Non pas envieux d'une façon louable,
mais laidement envieux comme un enfant
qui voit entre les mains d'un autre un objet dont il est privé. Cette paix merveilleuse
que donne la confession, j'aurais voulu
l'avoir *aussi,* sans pour cela me départir du
reste. Me départir de quoi ? De la volupté ?
Je ne la possédais pas. Alors, du désir de la
volupté, de tout ce que le démon me mettait
dans le cœur. Je voulais tout à la fois, le
monde et le ciel. Mon âme était avide de tous
les biens possibles et je crois pourtant qu'il
n'eût pas été difficile de lui parler, à cette
malheureuse âme qu'était la mienne, mais il
n'y avait personne pour le faire. L'aumônier
italien n'avait pas su, qui s'était borné à me
laisser des brochures. Sans doute l'aumônier

bougon de Monastier-di-Treviso aurait-il trouvé les paroles qu'il fallait, mais en fait, je vivais dans une solitude totale en ce qui touchait la religion, alors qu'il eût suffi peut-être d'une phrase pour briser le cercle enchanté qui se traçait autour de moi.

Il faut dire que ma sauvagerie naturelle n'était pas encourageante. Quand j'étais gai, tout le monde me souriait, mais je m'enfermais souvent dans ma chambre et ne me mêlais pas volontiers au groupe que nous formions. Ma brusquerie déconcertait. Un jour, je prêtai à un camarade qui me la demandait une montre d'argent à laquelle je tenais beaucoup. Il revint me trouver le lendemain, cette montre à la main. « Je ne sais pas ce qu'elle a. Elle ne marche plus. » J'étais assis à ma table. « Donne-moi cette montre. » Je la pris, y jetai un coup d'œil et par un geste subit la lançai par la fenêtre. « Tu l'as cassée, je n'en veux plus. » Mon camarade ouvrit la bouche de surprise et s'en alla.

★

J'avais parfois l'occasion d'aller à une petite ville appelée Mogliano où se trouvaient beaucoup de soldats et j'y vis un jour un

lieutenant qui, avant la guerre, avait tra-
vaillé dans le bureau de mon père. Il était
Vénitien et m'aurait paru très beau dans
son uniforme s'il n'avait eu des poches sous
les yeux. Je supposai qu'il venait de coucher
avec une femme et l'enviai un peu en con-
séquence, bien que ce gonflement des chairs
me fît l'effet d'une punition du ciel, comme
le cerne que j'avais autrefois au coin des
paupières. Il me parla aimablement, mais
vite, car de toute évidence, cela ne l'amusait
pas de s'entretenir avec moi et il avait autre
chose à faire, par exemple, me disais-je *in
petto*, retourner auprès de cette femme. Je
souhaitais qu'il me la fît connaître, j'imaginais dans l'espace de quelques secondes
mille choses agréables, mais impossibles. Il
me quitta au milieu de la route et j'en
éprouvai une grosse déception.

Dans cette même ville où je me promenais et où mon uniforme attirait les regards,
j'avais plusieurs fois remarqué un jeune soldat au visage merveilleux et qui se montrait
presque toujours en compagnie d'une jeune
femme aussi jolie qu'il était beau. Je ressentais à les voir un plaisir extrême d'où
toute sensualité était absente, parce que je
ne savais pas encore ce qu'était vraiment le
pouvoir de la chair, sinon d'une manière abs-
traite quand je lisais un roman français ou
que je rêvais vaguement à la volupté, et il y
avait ceci de particulier dans mon cas,

que si je me trouvais nez à nez avec un être
humain que j'aurais pu désirer, mon imagination ne travaillait plus. Quoi qu'il en soit,
les deux jeunes gens ne furent pas longs à
remarquer que je les suivais des yeux et un
jour, le soldat s'approcha de moi et me demanda de venir boire une tasse de café avec
eux.

Je me trouvai donc un moment plus tard
assis en face de l'homme et de la femme,
à une longue table. Tout cela, je le revois
distinctement. Assis à contre-jour, je les
regardais avec admiration et eux, les coudes
sur la table, leurs épaules se touchant, se
penchaient vers moi jusqu'à presque me
frôler le visage. Comme leurs dents étaient
blanches et comme leurs yeux brillaient !
« Tu nous trouves gentils ? » fit le soldat,
et en rougissant je leur dis que oui. Il me
dit d'autres choses que j'ai oubliées pendant
que la *signorina* me souriait de toutes ses
dents et la pensée me vint qu'ils étaient
amants. J'en éprouvai une griserie étrange
quand tout à coup par une fulgurante intuition je compris qu'ils désiraient me faire
partager leurs plaisirs. Dès lors, je ne les
vis que comme une seule personne. Ils se
ressemblaient, en effet, comme frère et sœur,
et je me sentis gagné par un trouble dont
je ne puis donner aucune idée, car la
frayeur et la joie s'y mêlaient en propor-
tions égales. Ce fut alors que le soldat fit

une chose que je ne compris pas. Echangeant
un clin d'œil avec sa compagne, il me dit
en riant : « Tu sais, elle et moi, nous sommes
fiancés. » Plus tard, je compris qu'il s'agissait là d'une plaisanterie, mais au moment
même, je donnai à cette phrase un sens
littéral et une barrière s'éleva aussitôt entre
ce couple et moi. Je crus qu'ils me repro-
chaient gentiment de les avoir regardés avec
trop d'intérêt et me sentis coupable. Le mot
d'adultère se forma dans mon esprit. Re-
merciant le garçon et la fille de leur gentillesse, je me levai et sortis. Jamais plus je
ne m'arrêtai à Mogliano. Le plus étonnant de
cette histoire est que j'oubliai presque sur
l'heure mes amoureux; ce ne fut que des années plus tard que je me ressouvins de leurs
charmants yeux noirs, rieurs et attentifs. Le
coup était manqué.

★

A quelque temps de là, par un après-midi
tiède et lumineux, cinq ou six de mes camarades me demandèrent de me joindre à eux
pour faire une courte promenade le long
des petits canaux qui s'étendaient au milieu
des prés. On ne pouvait rêver un plus charmant paysage. Des rangées d'arbres se mi-

raient dans l'eau immobile et nous nous as-
sîmes sur l'herbe pour bavarder. L'un de nous
proposa un bain dans le canal et cette ìdée
sembla parfaite à tous, sauf à moi qui ne savais pas nager. « Cela n'a pas d'importance,
me dirent-ils en se déshabillant. Ote toujours
tes vêtements, tu te tiendras debout dans
l'eau. » Comme je craignais d'avoir l'air d'une
mauviette, j'obéis et un instant plus tard, je
me tenais tout nu sur l'herbe, à une certaine
distance de mes camarades qui m'observaient.
Sans savoir pourquoi, j'éprouvai une gêne
mortelle. J'évitai de tourner les yeux de leur
côté, parce qu'ils étaient nus, mais je sentais leurs regards sur mon corps et je finis
par dire : « Qu'est-ce que vous attendez pour
vous baigner ? » Ce fut alors que l'un d'eux
se leva et se détachant du groupe fit quelques
pas de mon côté. Il était très blond, avec un
nez incurvé et je le comparais mentalement
à un corbeau doré. Quand je le vis près de
moi, je m'écartai assez vivement, car il avan-
çait la main et je crus qu'il allait me toucher.
Je compris alors qu'on m'avait fait déshabiller pour voir de quoi j'avais l'air et le sang
me monta au visage. « Tu n'as pas besoin
d'avoir honte, me dit le garçon avec un sourire. Tu es fait comme un boxeur. »

S'il entendait cela comme un compliment,
je n'en eus aucun plaisir, car selon les idées
que j'avais alors, un boxeur représentait à
peu près ce qu'il y a de plus modeste dans

l'échelle humaine. Il y eut un silence, puis
les garçons se jetèrent à l'eau en riant et
j'y descendis moi-même, bien mortifié.
J'avais hâte de voir finir cette baignade. Ce
que j'apercevais malgré moi de tous ces
corps ne me causait qu'un dégoût que je ne
m'expliquais pas. On ne devait pas être nu,
se regarder, passer si près les uns des autres
qu'on risquait de se toucher. Tout cela était
mauvais. Je sortis de l'eau et me séchant au
soleil, remis mes vêtements dès que cela me
fut possible. Habillés, tout rentrait dans l'ordre. De nouveau, je pouvais bavarder avec
mes camarades, je les reconnaissais, alors
que leur nudité me procurait ce malaise
qu'on voit aux animaux domestiques en
présence du maître qui se plonge dans son
bain. Les personnages de Gustave Doré ap-
partenaient à un domaine différent, de
même que ceux de l'Albane et de Giulio
Romano. Dans mon esprit, il se faisait là
une distinction que j'aurais été bien en
peine de tirer au clair.

★

Quelques jours plus tard, je me trouvais
dans la chambre d'un garçon et je me sou-

viens qu'assis près d'une fenêtre par où entrait un flot de lumière j'avisai un livre
intitulé *Three Weeks*. Plusieurs de mes camarades étaient là, bavardant et riant, et
je leur demandai ce que c'était que *Three
Weeks*. « C'est un livre qu'on lit dans les
bordels », me dit l'un d'eux. J'hésitai une
seconde, puis l'ouvris au hasard, le cœur
inquiet, car je savais que je faisais mal. Mes
yeux tombèrent sur une phrase en apparence
anodine, mais qui s'inscrivit dans ma mémoire de telle sorte qu'elle n'en est jamais
sortie. Je ne la compris pas bien; franche-
ment, je ne la compris pas du tout, mais elle
me revint plus tard riche de sens et de poison.
Par un geste dont je ne fus pas maître et que
je fis malgré moi, comme s'il m'eût été com-
mandé, je refermai ce livre et ne le rouvris
plus. Ce petit fait me paraît plus mystérieux
que bien des actes qui pourraient sembler
plus importants dans l'ordre spirituel.

★

Un autre souvenir qui me renseigne sur ce
que j'étais alors. Il y avait à la section un
grand garçon qui s'occupait de sciences oc-

cultes. Son physique ingrat, sa manière à
la fois joviale et condescendante de parler
à tous, sauf à moi, exaspéraient les uns et
les autres. Un jour vint où ils décidèrent de
le jeter dans le canal en grande cérémonie.
Je n'avais rien contre ce garçon, mais par
lâcheté je pris part à cette affreuse petite
fête. Elle eut lieu la nuit. On tira la victime
hors de son lit et on l'étendit sur un brancard
que l'on porta jusqu'à un des canaux derrière la maison. Huit ou dix garçons suivaient en chantant, comme s'il se fût agi
d'un enterrement, et voici le détail igno-
minieux : l'un d'eux me mit entre les mains
un livre et me dit : « Tiens, c'est toi qui
seras le prêtre. » Je ris, pris le livre et le
jetai presque aussitôt dans l'herbe, mais je
n'avais pas refusé de le prendre et je me
souviens que malgré mon rire, qui était le
rire du respect humain, la conscience me
poignit durement. Je vis sans plaisir le garçon jeté à l'eau — on retourna simplement
le brancard — et quand je fus seul, dans
ma chambre, le front et les joues me brû-
laient. Je retiens la phrase qui me fit plus mal
que tout le reste : « C'est toi qui seras le
prêtre. » On devait donc savoir quelque chose.
Avais-je parlé moi-même de ma vocation ?
Aucun souvenir. Seul demeure le fait dans sa
nudité.

Pour la première fois de ma vie, j'avais
honte d'être moi-même. Le lendemain j'allai

trouver la victime. Je revois bien la scène.
Le pauvre garçon avait des yeux de serpent,
ce à quoi il ne pouvait rien, certes, mais
intérieurement je lui en voulais d'être aussi
laid. Les yeux de serpent me firent un regard
plein de lourds reproches. « Tu étais avec
eux », dit-il. Je lui dis que je le regrettais.

★

La vie continuait. Un jour notre chef
annonça que trois garçons qui avaient passé
la journée à Venise seraient renvoyés. L'un
de ces garçons était James l'amoureux. Il
vint vers moi et me dit : « Greeno, (c'est
ainsi qu'on m'appelait) le chef veut nous
chasser. Restes-tu ? » « Non, dis-je étourdiment et sans aucune raison, si on vous
renvoie, je m'en vais. » Pourquoi avais-je
dit cela ? Sans doute, j'avais le sentiment
d'une injustice, mais quelle étrange manière de protester... Le départ des coupables
ne m'eût pas causé de peine véritable. Quoi
qu'il soit, ils restèrent. Cette nuit-là, en effet, le chef eut une crise de larmes dans ses
coussins et revint sur sa décision.

★

Je m'étais engagé pour six mois et j'arrivais à la fin de mon service. On me demanda où je voulais aller. Je dis Rome, et l'on me fit cadeau d'un billet pour Rome. Avant de quitter Roncade, j'eus encore quelques entretiens avec James au sujet de ses amours malheureuses que je n'arrivais pas à prendre au sérieux, puisque, lui disais-je, il s'agissait d'un homme, en quoi je manquais autant de mémoire que de cœur, car enfin, avais-je oublié Frédéric ? Mais d'abord, et si étrange que cela paraisse, je ne m'étais jamais cru amoureux, précisément parce que j'ignorais que l'amour pût exister entre personnes du même sexe — aussi ne savais-je quel nom donner au sentiment que j'avais eu pour le lycéen — et puis, je dois le dire, James et l'homme pour qui il soupirait me semblaient si vilains que cette histoire ne m'intéressait pas. J'eusse été sans doute beaucoup plus attentif s'ils eussent été beaux l'un et l'autre, mais leur laideur était cause que je ne comprenais rien. Hélas, il m'arrivait de rire, ne me doutant pas que ce rire, j'allais le payer de bien des larmes.

★

J'arrivai donc à Rome au début de juin 1918 et me rendis aussitôt à l'*Hôtel Elysée* où ma sœur Mary occupait un appartement. Avait-elle changé ? Pas du tout. Elle me parut en bonne santé, même voix, même bonne humeur avec ce je ne sais quoi d'impérieux et d'enjôleur à la fois qui agissait sur nous tous. Autour d'elle, des amis italiens, belges ou français au milieu desquels je me sentis immédiatement mal à l'aise, car ils formaient un petit monde avec son langage, ses plaisanteries et ses sous-entendus auxquels je n'entendais rien. Pardessus le marché, je craignais un peu leurs regards légèrement malicieux. Je ne savais rien dire de spirituel. D'un grand geste de la main, ma sœur me désigna la fenêtre par où l'on avait une admirable vue de Saint-Pierre. Comme dans un rêve, j'aperçus pour la première fois ce dôme lointain se détachant sur un ciel sans nuages, et j'éprouvai en même temps une joie profonde dans laquelle se glissait une obscure méfiance. La joie était catholique, la méfiance venait je ne sais d'où, peut-être d'un atavisme protestant. En tout cas, je restai muet. Que peut-on dire de frappant sur le dôme de Saint-Pierre devant des Italiens un peu moqueurs ? Des remarques frivoles furent échangées qui me choquèrent profondément, car enfin, c'était Saint-Pierre, c'était la foi. Quelque chose me fut donné à cette seconde. Ce fut comme la solution d'un débat secret. Peu m'importait ce qu'on disait autour de moi, j'étais fier d'être catholique, j'en remerciai Dieu du fond du cœur, il n'y avait plus cette honteuse méfiance, tout en moi disait oui, ce fut ma première prière, confuse, informulée, mais joyeuse. Il me sembla que ce qui m'avait été enlevé ailleurs, Dieu me le rendait ici et me le rendait gaiement, oui, avec une gaieté divine qui faisait que tout riait de bonheur dans la plus belle lumière du monde. J'ose écrire que j'eus l'impression d'une bienvenue. Si j'avais été seul, je me serais mis à genoux, mais il y avait autour de moi ces personnes spirituelles et blasées pour qui ces choses avaient peu de sens, et à mon émerveillement succédèrent la tristesse et la gêne.

J'éprouve une certaine difficulté à écrire tout ce qui suit. Le faux luxe des hôtels était pour moi quelque chose de nouveau. Chez nous, à Paris, tout me semblait simple et sérieux. Ici, je remarquai de la fourrure sur un divan et des coussins de brocart et ces détails m'intimidèrent presque autant que

la conversation et les sourires, car il fallait
à tout prix être amusant et sourire. On racon-
tait de petites choses sur des gens que je ne
connaissais pas et dont on imitait la voix et
les maniérismes. Il parut drôle de m'appeler :
« Militaire » et, m'ayant offert du café dans
une petite tasse dorée, d'oublier totalement ma
présence (ce dont je me félicitai) pour discuter le dernier livre paru à Rome : *Quaresi-
male*. Ce titre me revient à la mémoire. Tous
parlaient italien, ma sœur comme les autres,
et si vite que je ne comprenais presque rien.
J'aperçus sur le coin d'une table un chapelet
de buis que je supposai être celui de Mary et
me sentis rassuré. Elle au moins croyait. Il
fallait croire. Pauvre Mary ! Elle se figurait
qu'en me désignant d'un geste grandiose le
dôme de Saint-Pierre, elle m'avait fait cadeau de la ville entière et que j'avais tout vu,
car de me montrer autre chose, il n'en fut pas
question ce jour-là.

A la vérité, cette pièce d'où l'on avait
une si belle vue de Saint-Pierre n'était pas
l'appartement de ma sœur Mary, mais celui
d'un jeune homme que j'appellerai Giulio
et qui était acteur. Tous les jours, à l'heure du
café, nous nous réunissions chez lui pour passer un moment. On le trouvait beau, mais non
moi, car s'il avait des yeux d'un bleu magnifique, ni le reste de son visage, ni ce qu'on
devinait de son corps ne me paraissaient cor-
respondre à l'idéal grec, hors duquel, selon

mes idées d'alors, point de salut dans l'ordre
esthétique. Il va sans dire que je gardais pour
moi ces opinions. Giulio avait des rondeurs
qui me semblaient horrifiantes chez un
homme. Qu'il eût des goûts particuliers, tout
le monde le savait, sauf moi pour qui cela
n'avait aucun sens. L'homme dont il partageait la vie se trouvait également présent à
ces petites réunions. Il est mort. Je l'appellerai Enzio et ne puis penser à lui sans tristesse,
car j'ai rarement connu d'Italien plus sérieux, plus délicat, ni plus chrétien à sa
manière. Il pouvait avoir quarante ans, alors
que Giulio n'en avait guère plus de vingt,
et entre les deux il y avait un monde. On
n'imaginait pas deux personnes plus dis-
semblables et lorsque la vérité sur leurs rapports me fut révélée, cinq ou six ans plus
tard, j'eus beaucoup de difficultés à y croire.
Enzio me considérait gravement et me parlait quelquefois d'une belle voix profonde
et douce. Son visage émacié aux traits des-
sinés finement comme avec la pointe d'un
crayon eût pu être celui d'un religieux. Je
ne savais que lui dire, mais j'aimais son
silence, tandis que je redoutais les taquineries malséantes de Giulio.

A ces deux personnes s'ajoutaient deux
charmants Belges dont je ne puis parler,
crainte qu'on ne les reconnaisse, et une
dame, belge également, d'une beauté admirable, accompagnée de son fils aux tics in-

quiétants parce que je me sentais tout prêt à les imiter en vertu de je ne sais quelle contagion. C'est tout ce que je puis dire de ce petit monde qui ne manquait pas de pittoresque, mais au milieu duquel je ne me sentais pas à mon aise.

Présente aussi, ma sœur Anne qui ne disait presque rien. Elle avait quitté l'hôpital du Ritz, après la mort de Retta, pour venir s'occuper de Mary dont l'état tourmentait mon père, mais comme l'argent manquait, Anne travaillait une partie de la journée dans les bureaux de la Croix-Rouge américaine. Toutes les épreuves qu'elle avait subies à Paris l'avaient profondément marquée, mais elle était dans tout l'éclat de sa beauté et ne disait mot de bien des choses qui la scandalisaient sans doute. Je la voyais assez peu. Au fond, on ne savait trop que faire de moi. Rien de plus encombrant qu'un personnage muet. Le troisième jour, je quittai l'hôtel au matin et m'élançai dans la rue. Hélant un fiacre, je demandai au *vetturino* de me mener à l'église des Jésuites, le fameux Gesù, fameux pour la richesse de ses ornements et son inimitable voûte en trompel'œil. Malheureusement, je ne pus faire comprendre ce que je voulais au *vetturino* et ce fut en vain que je lui criai : « Gesù ! » Il me prit sans doute pour un exalté et, haussant doucement les épaules, fouetta son cheval qui s'en alla en trottinant.

De cette petite histoire, je retiens que je
voulais me rendre dans une église et que je
me trouvais dans des dispositions favorables
à l'action de la grâce. La pensée que je vivais à Rome me touchait au meilleur du
cœur. Tout cela je le dis avec mélancolie.

★

Une nuit que j'étais sur le point de me
coucher, j'entendis dans la chambre voisine
de la mienne un bruit qui aurait dû ne me
laisser aucun doute sur ce qui se passait. Je
me revois debout, l'oreille collée à une porte
qui semblait une feuille de papier à un garçon
dont l'ouïe était aussi fine que la mienne. Pendant une seconde ou deux, je crus que mes
voisins étaient malades, mais il s'agissait bien
de cela ! La douleur n'avait aucune part à ces
gémissements et bientôt la verdeur des paroles balbutiées dissipa mes incertitudes.

Je ne sais plus quel auteur a dit qu'en
pareil cas on voit avec les oreilles. La tête
en feu, mais le corps absolument calme
(m'expliquera-t-on jamais ce mystère ?), j'as-
sistai par l'imagination à cet acte inconnu
de moi, effrayant et fascinant à la fois, et

que je parais de toutes les grâces possibles.
Cela, c'était cela que je voulais plus que
n'importe quoi au monde en cette minute.
Ne sachant que faire et oubliant que j'étais
nu ou à peu près, je courus à la porte de
ma chambre et notai la forme des chaussures bien soigneusement placées à la porte
voisine. Quand je parle de chaussures, je
dis mal : il y avait une paire de bottes d'officier et une paire de souliers de dame, et ils
avaient l'air si tranquilles et si sages que
si je n'avais été hors de moi, j'eusse éclaté de
rire. Le plus extraordinaire de toute cette histoire n'est pas là. Rentré dans ma chambre,
je m'interdis d'en entendre plus et me couchant, m'endormis aussitôt.

Le lendemain, déjeunant à la salle à manger avec Mouser, notre vieille amie anglaise
qui habitait aussi l'hôtel, je regardai avec
attention les pieds de toutes les personnes qui
entraient. Il y avait des bottes à ne plus savoir les compter et presque tous les souliers
de dames se ressemblaient étrangement. Je
m'attendais à voir paraître, chaussés de *mes*
bottes et de *mes* souliers, Phébus et Aphro-
dite, mais il n'entra que des messieurs cour-
tauds et des femmes quelconques, et à force
de jeter les yeux sur tous ces pieds, je finis
par intriguer Mouser qui me demanda si
j'avais perdu quelque chose. Je rougis. Si
elle avait su... Mais si elle avait su, elle
aurait ri aux larmes.

★

Chère vieille Mouser, roc détaché de cette
intraitable Albion si difficile à comprendre, il
est temps que je parle d'elle. Elle s'appelait
en réalité Florence Carew-Gibson. Mon père
dont la mémoire fléchissait l'appelait inva-
riablement Mrs Webster, et quant au surnom
de Mouser, je ne sais d'où il lui venait. Mouser, en anglais, est le nom qu'on donne aux
chats qui prennent des souris, mais Mouser
n'avait rien d'un chat. Elle avait un visage un
peu rude, tout couturé par les ennuis de la vie,
des traits virils, un œil clair dont le regard ne
se dérobait jamais et dont les paupières ne
battaient guère que sous l'effet de la fumée
d'une inextinguible cigarette. Protestante
jusque dans la moëlle des os, elle parlait
des catholiques avec un tact et une courtoisie qui trahissaient un solide anti-papisme.
Sa façon de s'habiller était proverbiale dans
notre famille. Chaînes, bagues, pierres pré-
cieuses, camées, plumes et dentelles rele-
vaient ce qu'il pouvait y avoir de banal
dans le goût de son temps et ornaient une
personne dont elle était la première à convenir qu'elle enlaidissait tous les jours et
que la vieillesse en vue emplissait d'une

grandissante horreur. Sa façon précise et mordante de parler faisait de sa conversation un plaisir non dépourvu d'inquiétude, car le sarcasme fleurissait sur ses lèvres minces, mais un sarcasme mitigé par la politesse et par une charité naturelle qu'elle prenait sans doute pour une faiblesse et qu'elle gouvernait assez mal. Si dure qu'elle voulût paraître, elle ne pouvait s'empêcher d'être bonne. On la respectait. Il lui manquait d'être aimée. Pourtant, elle sentait chez nous tous une sorte d'affection épouvantée à laquelle malgré tout elle était sensible. Passant sur le fait que nous n'étions pas britanniques, ce qui était assez grave, elle nous avait fait entrer l'un après l'autre dans cette espèce de forteresse blindée qu'était son cœur, et puis nous étions de souche anglaise, ce qui arrangeait un peu les choses à ses yeux, et nous ne parlions pas comme des Américains. Lorsque j'étais encore enfant, j'avais l'occasion de lui écrire de Paris alors qu'elle se trouvait en Italie avec Mary, et je signais mes lettres : « votre respectable ami », pensant avoir écrit « votre respectueux ami ». Cette méprise l'enchantait. Plus tard, lorsque j'eus vingt ans et qu'elle me supposait, sans du tout me désapprouver, une vie galante, elle m'écrivait parfois et signait *Your one respectable friend* (votre seule amie respectable). La nouvelle de ma conversion, en 1916, lui avait sans doute fait

lever les sourcils de dédain, mais déjà il
y avait eu Mary et avant elle Eléonore. In-
fluence du milieu sur une famille sans colonne vertébrale ? Pour sa part, elle tenait
bon. On lui eût parlé du péril de la contagion catholique dans une ville comme Rome
qu'elle eût ôté son lorgnon à monture d'argent pour rire plus à son aise. Elle ne nous
méprisait pas pourtant. Il y avait dans
notre famille une qualité d'obstination
qu'elle estimait et un jour que certains d'entre nous se virent soumis à une épreuve
difficile, elle nous observa et laissa tomber
de sa bouche le mot « *Thoroughbreds* »,
(pur-sang) car ses références à la race che-
valine étaient fréquentes (elle montait dans
sa jeunesse) et le compliment, venant d'elle,
n'était pas mince. Mariée jadis, puis sépa-
rée, mais non divorcée, elle faisait parfois
des allusions vitrioliques à son mari qu'elle
n'appelait jamais autrement que : « Légi-
time » avec une sorte de ricanement silencieux qui était terrible. Fière et droite, malgré de torturants rhumatismes, elle était
entrée dans notre vie comme un homme,
avec une autorité tranquille. Je ne la ché-
rissais pas comme jadis notre bonne grosse et
malicieuse Agnès, mais je l'aimais bien et
je l'admirais. Elle me parlait avec cette légère
nuance de respect qu'elle gardait malgré
tout pour mon sexe, les trésors de son mépris étant réservés aux femmes, mais elle

me dominait, poliment. Les Italiens lui paraissaient comiques, charmants, assez près du singe par les mœurs et l'intelligence. Par je ne sais quel paradoxe britannique, ses compatriotes lui faisaient horreur, bien qu'elle reconnût qu'entre eux et le reste du monde, il existait à peu près la même différence qu'entre l'homme et le règne animal. Mais pareille en cela à beaucoup d'Anglais, elle préférait vivre chez les singes que chez elle, parce que les singes étaient plus amusants.

★

Il y avait alors dans ma vie deux forces contraires, je le vois bien, et l'une tenait l'autre en échec. Mary ne se sentait pas assez vaillante pour déjeuner avec moi à la salle à manger, c'est pourquoi je prenais mes repas avec Mouser. Un jour, celle-ci m'annonça que nous aurions à notre table le fils d'un officier italien et je vis, en effet, s'asseoir devant moi un garçon de mon âge vêtu avec élégance d'un costume bleu marine. D'abord, rien ne me frappa dans sa physionomie, sinon une certaine gaieté et je ne sais quoi qui frisait l'impertinence, mais avec cela

une grande politesse et de bonnes façons.
Au bout d'un moment, toutefois, je remarquai à quel point il était agréable à voir,
combien sa peau était belle, ses dents blanches, et brillants ses cheveux noirs. Il ne parlait qu'italien et avec une vivacité étourdis-
sante qui me faisait honte de ma lenteur à
m'exprimer dans cette langue; à cause de
cela, je ne disais presque rien, mais, je le
crains, mes yeux tenaient un discours dont
je ne me doutais même pas. Je me souviens
que Mouser demanda au jeune homme comment on prononçait le nom de la ville de
Pontedera et s'il fallait dire Pontédera ou
Pontedéra. « Pontédera, *signora*. C'est la
ville où Torquato Tasso passait l'été. » « Et
qu'y faisait-il ? » « Il dormait », fit le garçon avec un rire sournois. J'admirais en
silence tout ce qu'il disait. Je l'aimais, c'est
aussi simple que ça, mais je n'en savais rien,
aucune mauvaise pensée ne m'effleura. Plus
tard, j'appris qu'il se postait au dernier
étage de l'escalier pour verser de l'eau sur
les personnes qui montaient, il y eut des
plaintes et son père le punit. Une fois ou
deux, je l'aperçus, mais bientôt je ne pensai plus à lui.

Puisque j'en suis à parler de ces choses
dont je ne comprenais aucunement le sens,
mais qui ne m'en faisaient pas moins souffrir de temps à autre, je dirai un mot d'un
jeune officier nommé Galeazzo qui faisait

l'admiration de beaucoup de monde à cause
de la beauté singulière de son visage et de
toute sa personne. Aujourd'hui encore, je
me demande pourquoi cette profusion de
dons va à certains et non à d'autres. Si je
m'étais jamais trouvé beau, je n'avais qu'à
regarder le lieutenant Galeazzo et courber
ma tête, humilié. Je ne vis pas ce garçon plus
d'une fois ou deux et seulement quelques
minutes. Cependant des années passèrent
avant qu'il en résultât aucun mal, mais c'est
là le mystère de ce qui est semé, de ce qui
travaille sous terre et qui finit par germer.

★

Un matin que j'étais dans ma chambre,
on frappa à ma porte qui ne fit alors que
s'entr'ouvrir et une main passa, déposant sur
le coin de ma table de nuit un livre broché à
couverture jaune. En même temps, j'entendis
la voix de Mouser qui me disait : « *Good
morning*. Gardez ce livre. Il est évidemment
écrit par un fou, mais il y a des endroits assez
drôles. » Je vis sur la couverture : *Mon Journal*, et en haut un nom qui m'était parfaitement inconnu : Léon Bloy. Plutôt pour faire

plaisir à Mouser que par curiosité, je tournai
quelques pages, sans y trouver rien qui retînt
mon attention. L'auteur était furieux, c'était
l'impression générale que j'eus de ce livre.
Il aimait l'Eglise, ou peut-être la détestait-il.
On ne savait pas au juste, et il faisait allusion à toutes sortes de choses que je ne connaissais pas. *Mon Journal* fut refermé pour
plusieurs mois.

★

Ce séjour à Rome ne dura pas plus de
trois semaines. On me mena un soir au
music-hall où triomphait un comique appelé
Petrolini qu'il fallait à tout prix trouver
drôle et qui me fit prendre le monde en
grippe, moins à cause de sa malice que parce
qu'il me semblait stupide. Enzio, qui avait
bon cœur, me mena au Forum et Mouser
au Colisée. Au milieu de cette architecture
titanique, elle avait l'air de tenir tête à je
ne sais quoi. Par acquit de conscience, elle
me fit voir quelques églises, par exemple
San Pietro in Vincoli, où le Moïse de Michel-
Ange la fit sourire à cause de ses cornes qui
ne sont là que pour indiquer des rayons de
lumière, mais elle préférait en tout le détail

bizarre et comique, qu'elle découvrait infail-
liblement, à l'ensemble qui l'ennuyait. Son
anti-papisme ne l'empêcha pas de me mener
aussi à Saint-Pierre, ou peut-être voulut-elle
me le montrer pour juger de l'effet qu'il
aurait sur moi. Elle promena sa tête rebelle
sous ces voûtes orgueilleuses dont la puissance m'écrasait. Je fis ce que ma sœur
m'avait dit, je levai une main pour la comparer aux mains des chérubins de marbre
qui s'agitaient dans une chapelle et me semblaient petits, alors qu'ils étaient quatre fois
gros comme moi, ainsi que je pus m'en
rendre compte. Mouser dénicha un pape à
la mine particulièrement sinistre et le proposa à mon attention, mais j'étais trop éberlué pour prêter l'oreille à ce qu'elle me disait.
J'étais venu avec le désir d'admirer et, si
je puis dire, avec toutes sortes d'émotions
préalables, mais je n'avais pas plus tôt franchi les portes de bronze que je sentis en
moi une vraie déroute. La religion ! Où était-
elle ? Mon cœur battit d'inquiétude. « Tu es
à Saint-Pierre, me répétais-je, à Saint-Pierre
de Rome... » Dans mon affolement, je tournais les yeux de tous côtés. Je crois que si
j'eusse été seul, je me serais enfui. Ces choses
sont tristes à dire. Je regrettais la lumière
incertaine de Notre-Dame, la haute forêt
de pierre où veillait la foi ancienne, mais
prier ici, je n'aurais pu le faire. On me
prouverait facilement que j'avais tort et j'en

conviens volontiers. Cependant, je ne puis que dire ce qui est. Je quittai Saint-Pierre la détresse au cœur.

Je sais qu'à plusieurs la page qu'on vient de lire fera l'impression que j'étais bien protestant en ce temps-là et que devant la Rome triomphante du XVIe siècle je n'avais pas des réactions de catholique, et peut-être cela est-il vrai si l'on s'en tient au sensible et au superficiel. Je me sentis troublé et rebuté par une énorme manifestation de puissance alors que je rêvais de me glisser dans le royaume de Dieu. Quelque chose me travaillait depuis huit ou dix jours et je ne savais quel nom lui donner. Si banale que fût la chapelle de la rue Cortambert, je ne pouvais y penser sans un grand désir de la revoir et d'écouter les sœurs chanter de leurs voix blanches. Pourtant j'étais heureux d'être à Rome. J'admirais tout ce qu'on me disait d'admirer, la hauteur stupéfiante des voûtes, l'or qui faisait rutiler les plafonds des basi-liques, l'exquis et le colossal, tout. Quand je quittai Saint-Pierre avec Mouser, celle-ci me dit avec un sourire : « Je vous citerai main-tenant la remarque d'une de mes amies après la visite à chacune des curiosités de la ville : « Cela, en tout cas, nous n'aurons plus jamais besoin de le faire. » Je ne pus m'empêcher de rire, je gardai pour moi mes réflexions : elles eussent fait trop de plaisir à l'hérétique.

★

J'avais été préservé de certains périls, et
cela tenait à ce que j'avais dit — je disais
tout — que je me destinais à l'état religieux.
Pour cette raison, les personnes qui auraient
pu me pervertir me laissaient tranquille, or, il
eût été très facile de ranimer en moi le feu
qui ne faisait que dormir et de me précipi-
ter dans le mal à un âge où je n'aurais su
me défendre. Je languissais sans le savoir
après le plaisir. De là venaient ces soudains
accès de mélancolie qui me ravageaient.

Vers la fin de mon séjour, ma sœur Mary
prit sur elle de me faire voir quelques-unes
de ses églises préférées. Elle s'habilla avec
soin et avec son charmant sourire me demanda si j'étais prêt. Je retrouvai d'un
coup, en la voyant ainsi, la rue de Passy,
le salon où elle jouait du piano pour moi,
pour moi tout seul, disait-elle. Sans être
jolie, elle avait une grâce particulière, une
façon de dire les choses qui mettait de bonne
humeur. On ne se lassait pas de sa compagnie lorsqu'elle avait décidé de plaire
et nous jugions terribles les jours où, pour
nous punir de je ne sais quelle offense, elle
nous annonçait qu'elle ne nous parlerait plus
pendant une semaine. (Il y avait cependant

des trêves pendant ces semaines noires, par
exemple quand elle éprouvait le besoin de
se faire tirer les cartes par Anne; alors, une
heure durant, tout redevenait normal, puis
le grand jeu fini, retombait l'épouvantable
silence accompagné du regard absent qui ne
voyait personne). Quoi qu'il en soit, à Rome,
elle se montra aussi aimable qu'on pouvait
le rêver et je me souviendrai toujours de
l'après-midi où elle me mena en fiacre à
Sainte-Agnès-Hors-les-Murs. Quand je me vis
dans cette église si ancienne et si merveilleusement belle, je me sentis envahi par une
joie qui fit mourir les paroles sur mes lèvres.
Tout autour de nous, c'était la campagne,
et entre ces murs, un silence qui semblait
venir du temps des apôtres. Je touchais la
foi, elle circulait comme du vent, je la respirais, j'aurais voulu qu'elle me fît mourir
pour vivre à jamais. Ce que Saint-Pierre ne
m'avait pas donné, cette petite église perdue
dans l'herbe et dans les arbres m'en comblait. Elle devait se souvenir des premiers
papes martyrisés, elle entourait le visiteur
d'une prière muette qui le retirait doucement
de ce monde. Cette espèce de ravissement
dura quelques minutes et je partis à regret,
puisqu'il faut toujours partir, puisqu'il faut
que tout finisse, toujours. Ni Mary, ni moi
ne dîmes un mot pendant un moment, puis
les paroles reprirent, ranimant la banalité,
mais il y avait eu le beau silence.

★

Avant de quitter Rome pour regagner
Paris, j'eus soin de me rendre chez un photographe afin de perpétuer le souvenir de
ma précieuse binette. Comme il fallait s'y
attendre, le photographe fit de moi un jeune
Italien. Je dévorai des yeux ce portrait un
peu absurde. A tout moment, je le tirai de
son enveloppe pour l'admirer encore un peu
plus et j'avais l'impression qu'il embellissait
d'heure en heure. Sans doute, je pâlissais à
côté du lieutenant Galeazzo, mais j'esti-
mais cependant pouvoir regarder n'importe
qui en face, et à quoi cela te sert-il ? me
demandai-je. Tu n'es amoureux de personne
et personne n'est amoureux de toi. Comment
fait-on pour trouver quelqu'un ? Je me souvenais, avec des soupirs, d'une phrase que
j'avais lue un an plus tôt dans un livre qui
traitait pudiquement de ce qu'on appelait
le printemps de l'adolescence : « Comment
résisterait-il à ces appels ? De délicieuses
jeunes filles papillonnent autour de lui... »
Aucune jeune fille ne papillonnait autour de
moi. Sans doute, il y avait *la guerre, Madame,*
comme disait Géraldy. Dans ma vie, le
« beau sexe » était représenté par Made-

moiselle Jeanne. Elle ne ressemblait en aucune manière aux personnages des gravures
licencieuses que j'avais vues à Nervi. Quelque
chose n'allait pas. Je dois dire qu'étant d'ordinaire froid comme un brochet, je ne souffrais pas beaucoup, mais cette tranquillité du
corps n'empêchait pas que mon imagination
travaillât. Tout se passait dans mon cerveau
qui devenait ni plus ni moins qu'un mauvais
lieu.

Et pourtant, je changeais sans m'en rendre
compte. Lorsque je revins à Paris, je n'étais
plus la même personne. A Sainte-Agnès, à
Saint-Clément, à l'église des Quatre-Saints-
Couronnés, j'avais reçu des impressions trop
fortes pour regarder le monde par les mêmes
yeux qu'autrefois et peu à peu le désir de la
volupté charnelle fut remplacé par un élan
vers l'invisible. Je retrouvai une France tragique, des églises pleines de femmes en deuil,
des soldats en bleu horizon qui semblaient
avoir forcé le ciel à couvrir leurs épaules
et à s'enrouler autour de leurs jambes. Elle
paraissait loin, l'Italie dorée. Ici, l'âpre sérieux
français ne parlait que d'épreuves. Quand
je poussai la porte de la chapelle voisine de

notre maison, il me sembla me réveiller d'un long rêve. De nouveau les religieuses chantaient gravement cette belle musique imperturbable et je me sentis rendu au vrai. Ici, la religion ne souriait pas. Comment avais-je jamais pu songer aux délices du mal ? Il y a une griserie étrange dans l'austérité. Je me remis à lire la Bible et m'enivrai de religion. Le père X. n'étant pas à Paris, j'allai trouver les Mères du couvent où j'entendais maintenant la messe chaque matin, et dans ces petits parloirs sombres, à travers les grilles épaisses, j'écoutais ces femmes vêtues de serge blanche comme auraient pu l'être des âmes, je voyais un œil, une bouche, j'entendais le chuchotement du voile à chaque mouvement de tête, le petit rire sage, les voix douces qui me parlaient de ma vocation et du poison du monde. Ma vocation ! Ces mots s'ouvrirent un passage jusqu'au fond de mon cœur.

La maison était bien triste, cet été-là. Mon père s'était mal remis de la mort de Retta et ne parlait presque plus. Seuls Lucy et moi étions là pour lui tenir compagnie et Lucy était la plus taciturne de nous trois.

Les bras croisés sur la poitrine, elle rumi-
nait je ne sais quoi dans sa pauvre tête. La
mort de sa sœur lui avait porté un choc si
violent que son état physique s'en ressentit
et il lui vint une maladie de peau dont
elle souffrit extrêmement, car elle se crut
enlaidie à jamais. A cause de cela, elle inclinait le visage sur sa poitrine et lorsqu'elle
levait vers nous ses grands beaux yeux verts,
j'y lisais une détresse qui me bouleversait.
Elle me parlait quelquefois, plus doucement
qu'aux autres, et je m'efforçais de lui répondre comme elle le voulait, mais à cette masse
de souffrance qu'elle portait avec elle, je ne
trouvais presque rien à dire. Il semblait que
lorsqu'elle entrait dans une pièce, tout s'as-
sombrît, parce qu'elle était devenue l'image de
la tristesse, mais une tristesse violente, un
chagrin auquel se mêlait une sorte de fureur
muette. Elle ne comprenait rien à son sort.
Sans un mot d'amertume, elle se révoltait intérieurement. Un jour, après m'avoir consi-
déré d'un air sombre, elle se leva brusquement et quitta la pièce de son grand pas
d'homme en disant : « Les garçons prennent
tout. C'est injuste. » Elle m'aimait cependant, gardait les petites lettres que je lui
avais écrites, collectionnait des photographies.
Qu'elle pleurât dans sa solitude, je n'en doutais pas. Lorsqu'elle souriait, elle ressemblait à un tigre qui eût été bon, car son
cœur était plein d'amour, et peut-être de

nous tous était-elle la plus tendre. Sa vie est
un mystère dont le sens m'échappe et auquel
je ne puis penser sans inquiétude, car elle a
souffert et il n'y avait personne pour la guider vers la paix. Elle s'était barricadée dans
le silence et il paraissait impossible de l'atteindre. Un jour seulement, — ai-je dit cela ?
— je trouvai dans l'âtre un bout de papier calciné mais dont un coin avait
échappé au feu, et je lus ces mots de la
main de Lucy : « Je ne me plains pas, je
constate seulement. » Je ne me plains pas...
Des paroles de colère s'échappaient parfois
de sa bouche, mais une plainte, jamais. Elle
lisait la Bible et sa foi demeurait, je crois,
entière, la foi de sa mère protestante. Ma
conversion dut la déconcerter. Elle finit
par s'y faire et se moquait un peu de moi
en chantant les paroles d'un cantique que nos
parents nous avaient appris :

> *The old time religion,*
> *The old time religion,*
> *The old time religion*
> *Was good enough for me !*

Je la vois encore, hochant la tête en
mesure, avec ses cheveux coupés à la Jeanne
d'Arc, et son visage tout épanoui de malice
pendant qu'elle me suit d'une pièce à l'autre,
me harcelant de ce petit air vainqueur, et
rien ne peut faire que le cœur ne me poigne
en songeant à elle.

Alors qu'elle ne se considérait plus dans les miroirs qu'avec horreur et consternation je m'y regardais encore avec amour et sans pouvoir me rassasier de ce visage qui me fascinait. La religion n'y faisait rien. Je ressemblais bizarrement à l'homme dont parle saint Jacques, avec cette différence que je n'oubliais pas ce que j'avais vu, mais il me fallait sans cesse le revoir comme si, en effet, j'en avais perdu le souvenir. Je me rappelle qu'un jour, me trouvant seul dans la salle à manger, je pris un plat d'argent qui était sur la desserte et m'y regardai avec cette étrange avidité que je mettais à tout. A ce moment j'entendis qu'on venait et la crainte d'être surpris me fit lâcher le plat qui roula sur le parquet. Nous l'avons toujours et il porte la trace de cet accident qui me rappelle, au cas où je l'oublierais, ma vanité ingouvernable.

C'est ici que la mémoire me fait défaut, pour bien peu de temps, il est vrai, mais comme je voudrais savoir à quoi j'employais mon temps pendant les quelques semaines qui suivirent mon retour de Rome ! Il se passait en moi beaucoup de choses dont j'ai perdu le souvenir, si claires que soient les

suites de ce remue-ménage intellectuel. Les
faits pourraient m'instruire, et les faits manquent. Je n'ai pour me guider que ma signa-
ture et quelques dates dans des livres achetés
à cette époque. Peut-être en disent-ils assez
long. Léon Bloy et Huysmans venaient en
tête parmi les acquisitions nouvelles. Je les
dévorai. Le premier me mettait le cerveau
en feu, le second me donnait une douloureuse nostalgie du cloître. Un autre livre
encore : *les Heures bénédictines* de Schnei-
der; écrit dans un style onctueux, il montait
de ce pieux ouvrage un parfum d'encens
qui me grisait comme m'avait grisé *les
Désenchantées* de Loti. Je tiens à noter le
fait. La sensualité avait changé d'étage, mais
elle habitait toujours la même maison. C'était
du même ordre. A présent, l'âme se vautrait
dans les délices. Elle se pâmait au son des
cloches et du chant grégorien. On trouvera
peut-être que je parle légèrement de ce qui
était sans doute une grâce, mais ce qui est
en cause n'est pas la grâce, bien plutôt la
manière dont j'en usais. Tout tournait à
l'orgueil, à l'exaltation et au fanatisme. Ce
qui aurait dû me mener à Dieu me séparait
simplement de l'humanité. Comme je ne
laissais pas ignorer que je comptais me retirer du monde le moment venu (et avec quelles
fanfares spirituelles et quel luxe d'humilité...
je prévoyais une sorte de gala), il m'arrivait
de provoquer des objections de la part de

la fraction protestante de la famille : Lucy
l'irréductible et Anne revenue de Rome.
J'écoutais avec patience, je souriais mysté-
rieusement et répondais avec douceur. J'étais
édifiant. Ce fut vers cette époque que je
laissai tomber le plat d'argent.

★

En ce temps-là, la Grosse Bertha tirait sur
Paris. Déjà, le Vendredi saint de cette année
1918, un obus avait crevé la toiture de l'église
Saint-Gervais pendant l'office de l'après-
midi et un certain nombre de fidèles avaient
été tués ou blessés. Parmi les morts se trouvait une de nos amies, Germaine F., qui
n'avait guère plus de vingt ans et que ma
cousine Sarah, pour des raisons que j'ai
oubliées, fut obligée d'aller reconnaître à
la Morgue. « Elle était toute changée »,
m'écrivit-elle. Je reçus un coup de cette nouvelle qui me fut de nouveau une sorte d'aver-
tissement, mais je ne comprenais presque
rien à ces avertissements, car dans mon
esprit, la mort frappait les autres et avait
ordre de m'épargner.

Chez nous, mon père, qui rentrait un peu
plus tôt de son bureau de la rue du Louvre,
allait et venait de la salle à manger au salon,

sa tête blanche inclinée, perdu dans des pensées dont il ne disait rien, mais qui lui donnaient une expression si douloureuse que nous
devinions sans peine qu'il songeait à ma mère.
Parfois, il nous souriait et nous posait de petites questions, ou bien il chantonnait des airs
de son enfance qui nous rappelaient la guerre
de Sécession. Je l'aimais sans jamais pouvoir
le rejoindre. Il me parlait doucement, mais
nous n'avions pas grand-chose à nous dire.
Lucy, son enfant de prédilection, le taquinait, lui parlant quelquefois de cet air bourru
qui lui était habituel avec nous. Pour ma
part, je n'aurais jamais osé m'adresser à mon
père que sur le ton du respect. Secrètement,
j'admirais en lui un homme irréprochable à
qui le mal était étranger. Lui et ma mère me
paraissaient sans défauts. Nous tous qui les
avions observés pendant des années avec les
yeux impitoyables de la jeunesse, n'avions pu
découvrir en eux la moindre imperfection.
C'est même cela qui me consterne aujour-
d'hui : j'ai eu les parents qu'aurait pu avoir
un saint.

Je ne sais si j'ai dit que pendant un voyage
qu'il fit aux Pays-Bas, en 1916, mon père fut
soumis à une épreuve singulière. Il se trouvait à La Haye pour ses affaires quand, dans
des circonstances que je n'ai jamais connues
en détail, un agent allemand réussit à entrer
en contact avec lui. Mon père se méfiait
extrêmement de la race allemande tout en-

tière, et en 1916, elle lui faisait horreur, mais
le fait est que l'Allemand en question lui
fit comprendre que s'il acceptait de faire
passer en Allemagne telle quantité de coton,
sa fortune serait faite une fois pour toutes.
Mon père refusa, comme il fallait s'y attendre, mais il en souffrit parce que sa situation
financière était difficile et que l'avenir de
tous ses enfants lui paraissait terriblement
incertain. « J'ai passé cette nuit-là à me promener dans ma chambre d'hôtel », nous
confia-t-il plus tard.

Je le revois par un bel après-midi de juillet,
debout, sa montre à la main, près d'une des
fenêtres du salon. Qu'attend-il donc ? Je ne
les sais pas, parce que j'ignore quelle heure
il est. Tout à coup une explosion dans le
voisinage, l'obus de cinq heures du soir dont
la Grosse Bertha nous gratifie tous les jours.
Cette fois, il est tombé au bas de la rue Cortambert, exactement place Possoz. « *By Jove,*
dit mon père en replaçant sa montre dans
son gilet, ces gaillards-là sont extraordinaires
(*those fellows are remarkable*). Jamais une
seconde de retard ! »

Que n'était-il plus jeune ! Il me semble que
j'aurais pu lui parler, mais il avait qua-
rante-sept ans de plus que moi. Il aurait pu
être mon grand-père. Nous étions trop loin
l'un de l'autre dans le temps pour nous comprendre, et cependant nous nous aimions,
mais l'intimité n'était pas possible.

★

J'ai parlé ailleurs de ma cousine Sarah. Il
est certain qu'elle attirait les hommes et cela
pour des raisons que je ne pouvais comprendre. Elle ne me semblait pas jolie, en
effet. Ses yeux saillaient quelque peu et elle
gardait presque toujours la bouche entrouverte, mais elle n'était pas laide, loin de
là, et son petit corps mince ne manquait pas
de grâce. Ajoutons à cela une extrême vivacité de mouvement et d'expression, de la
gaieté, de l'impertinence, un bavardage amusant, beaucoup de cœur — trop peut-être.
Elle était extraordinairement fière de ses
jambes qu'elle montrait aussi haut que la
mode le lui permettait et ce n'est pas faire
injure à sa mémoire de dire qu'elle adorait
plaire. Ses visites chez nous étaient de plus
en plus fréquentes vers la fin de la guerre et
au désespoir de mon père que cela dérangeait
beaucoup, elle recevait ses amis au grand
salon, ne les laissant partir que fort tard
dans la nuit. Défilaient au salon, avec des
dames de Groslay, des infirmiers américains,
des officiers de terre et de mer, à qui elle
servait des rafraîchissements et des douceurs.

Son grand talent consistait à remplir des plats
de toutes formes (mobilisation générale de la
vaisselle ces soirs-là) de caramels délicieux
fourrés à la noix. Où trouvait-elle le sucre et
le chocolat nécessaires ? Il y avait toujours
des garçons américains pour lui en fournir et
cela indignait certains de nos amis anglais et
français qui, eux, se voyaient privés de tout.
Un jour, puis-je l'oublier, nous reçûmes la
visite de Mrs Maugham, belle-sœur du romancier. Je ne sais pourquoi l'un de nous proposa
d'entendre un disque et l'on ouvrit l'appareil
Victrola. Avec quel étonnement scandalisé
Mrs Maugham constata que la grande boîte
à étages au lieu de contenir des disques recé-
lait de grands plats de caramel amoureuse-
ment préparés par notre cousine pour ce
qu'elle appelait une de ses *parties*. Pauvre
Sarah ! Je la revois dans la cuisine de la
rue Cortambert, penchée au-dessus de ses
éternelles casseroles de caramels, très cambrée, la jupe très courte, l'air mutin, et
tandis qu'elle tournait dans l'épais liquide
sa cuiller de bois, je surveillais ces opérations, car je savais bien qu'il m'en reviendrait quelque chose et j'étais d'une gour-
mandise extrême. Or, comme j'allais sur mes
dix-huit ans (c'était à mon retour d'Italie)
et que je commençais à devenir un homme,
la cuisinière amateur ne résistait pas au
plaisir de me faire des compliments. « Mademoiselle D. m'a dit l'autre jour que tu n'étais

vraiment pas mal. Elle m'a parlé de tes yeux. Pour ma part, je plains la fille qui regardera ces yeux-là. » « Ah ? Pourquoi ? » demandai-je lourdement. « Oh, pour l'amour du Seigneur, ne fais pas l'idiot! » Je savais parfaitement ce qu'elle voulait dire et si je faisais l'idiot, c'était pour que le compliment se développât; toute la religion du monde n'y pouvait rien. Au bout d'un moment, le futur anachorète se glissait dans sa chambre pour examiner ses yeux comme s'il ne les eût jamais vus. Il les regardait de toutes les façons possibles en promenant la lampe tout autour de son visage. Etaient-ils vraiment si beaux que ça ? Je ne demandais qu'à le croire. Et alors les filles souffriraient en les admirant ? Tiens ! (Je les plaignais).

★

Je me rends compte que si je parle de ces niaiseries, c'est pour retarder le moment où il sera question des invités de Sarah. L'un d'eux, le Révérend Guthrie, était un pasteur presbytérien extrêmement respectable, mais jeune et taquin. Il y avait également deux officiers de marine qui venaient toujours ensemble, l'un gras, l'autre maigre, et qui ne me parlaient guère. Il y en avait d'autres encore... Je faisais de brèves apparitions au milieu de ces fêtes où il se trouvait toujours un caramel à subtiliser.

Un jour enfin, je vis entrer chez nous un jeune marin des Etats-Unis dont les visites se firent vite fréquentes et même quotidiennes. Je ne sais ce qu'il faisait à Paris, mais il s'installa peu à peu chez nous et, quand je partis pour Fontainebleau, coucha même dans mon lit. Au début, je ne fis pas attention à lui. Mon pauvre père le trouvait bon garçon, mais trop bruyant, oh, beaucoup trop bruyant, disait-il en se bouchant les oreilles. Ted, en effet, riait très fort, parlait sans cesse, taquinait tout le monde, mais il était si charmant à voir et si gai qu'il semblait impossible de le reprendre. Je l'observais d'un air un peu sombre, parce que, moi aussi, je le trouvais bruyant et qu'il fallait être sérieux. Ses cheveux d'or pâle ébouriffés lui conféraient à mes yeux une sorte de gloire que je ne contestais pas et son visage me paraissait presque trop joli, avec son nez en l'air, ses prunelles couleur d'azur et ses dents d'une blancheur sans défaut. J'évitais de porter mes regards sur son cou rond et fort dont la nudité me gênait car on le voyait jusqu'à la naissance de la poitrine et l'on sentait que le garçon en était fier. De même j'hésitais à tourner les yeux vers son corps à la fois vigoureux et potelé,

pris d'une façon légèrement indécente dans
un uniforme trop étroit. Etait-ce exprès que
Ted se laissait voir dans ces attitude provo-
cantes ? Tantôt à califourchon sur le bras
d'un canapé, tantôt les genoux repliés, au
fond d'un grand fauteuil, un instant debout,
l'instant d'après assis par terre, remuant sans
cesse, tout en éclats de rire qu'on entendait
jusque dans la rue...

Il me scandalisait, mais je ne pouvais le
voir sans éprouver aussitôt un serrement
d'entrailles qui me faisait souffrir. Dès qu'il
avait disparu, je ne pensais plus à lui, au
début tout au moins, puis j'interrogeai discrètement ma cousine. Pourquoi ? Est-ce que
je savais ? « Oh, celui-là ! C'est mon préféré,
me dit-elle. Tiens, regarde la jolie photographie qu'il m'a donnée. » Elle alla chercher un
portrait devant lequel je demeurai interdit.
Pourquoi donc avais-je tellement mal ? Ma
cousine me demanda si je ne le trouvais pas
bien. Mais si, je le trouvais très bien.

Avec la jeunesse américaine revenait en
France une légèreté de cœur dont on avait
presque perdu le souvenir. Tous ces grands

et beaux garçons portaient avec eux beaucoup d'espoir. On les accueillait avec amour, quitte à les injurier plus tard, quand on n'aurait plus besoin d'eux, mais c'est là une autre histoire.

Chez nous, l'appartement que j'avais connu si triste retentissait de rires et notre vieux piano légèrement désaccordé entrait dans la danse avec les derniers airs de jazz, lui qui se souvenait de tragiques nocturnes. C'était la première fois que j'entendais de la musique de ce genre et elle me parut à la fois horrible et fascinante, mais j'y prenais une sorte de plaisir honteux, car il n'y avait pas à dire, elle émoustillait. « Ta musique classique, le diable l'emporte, me disait Sarah en tourbillonnant avec ses militaires. Nous, c'est du moderne qu'il nous faut ! » Elle riait de ma mine surprise et ses invités à qui elle faisait boire je ne sais quoi me criaient : « *Grow up, boy, grow up !* » Je m'en allais.

Mon père se réfugiait dans sa chambre où il essayait de dire ses prières en appliquant ses deux mains à ses oreilles pour ne pas entendre ce bruit qu'il trouvait sans doute légèrement infernal. Quant à moi, je sortais, mais une fois ou deux, Ted, me voyant si sérieux, glissait de mon côté et me rattrapant par le bras déclarait qu'il voulait parler philosophie avec Julien. C'était justement ce que Julien ne voulait pas. La philosophie ne m'intéressait guère, seule la religion existant à mes yeux, et je savais que Ted était hérétique comme tous les autres. De plus, il y avait ce malaise qu'il me causait. « Toi et moi, on va s'asseoir dans un coin. Ça me passionne, la philosophie, tu sais. » « Oui, je sais, mais il faut que je sorte. » « Oh, il va retrouver sa petite amie. Dis-moi, comment est-elle ? Brune ? » Je fuyais.

Un Yankee, pensais-je. Ted, en effet était de New York. Du reste, presque tous ces garçons étaient du Nord. Avant la guerre, quand il venait chez nous quelqu'un du Nord, il en résultait une émotion que nous dissimulions assez mal. Il fallait éviter certains sujets, ne pas prononcer certains noms, celui de Sherman, par exemple, ne pas dire Yankee en parlant des gens du Nord. Et maintenant, tout ce monde issu du Massachusetts, de la Pennsylvanie, de l'Etat de New York... Mon père était d'avis que, vu les circonstances, il valait mieux passer l'éponge sans modifier nos opinions, mais qu'est-ce que ma mère eût pensé de tout cela ? Toutes ces voix nasillardes qui faisaient bourdonner nos oreilles sudistes... Je crois que, le premier moment de fureur passé, elle eût éclaté de rire, pleuré sans doute un peu, et préparé des *drinks* pour tout le monde.

Je pensais à elle tous les jours. Peut-être étais-je moins mauvais que je ne l'ai donné

à croire. Certes, j'étais d'une vanité stupide,
mais il y avait en moi autre chose que je ne
comprenais pas et qui corrigeait cette vanité.
J'ai dit ailleurs que je ne voulais pas qu'on
me touchât. Je ne voulais pas non plus
être regardé. Etre regardé, c'était être touché
par les yeux. Je me cachais comme si j'avais
honte et s'il fallait absolument me faire voir,
par exemple poser pour un photographe, je
prenais un air arrogant et lançais un regard
de défi. De quoi donc avais-je peur ? Quel
viol redoutais-je ? Non pas un viol physique
dont je n'avais pas la moindre notion, mais
une atteinte portée à je ne sais quoi de secret
et de sacré. Ce que ma mère m'avait dit sur
le corps qui est le temple du Saint-Esprit
m'avait marqué à jamais.

A cause de tout cela, j'étais profondément
troublé par la présence de Ted. Toute mon
enfance recommençait avec les *Porteurs de
mauvaises nouvelles* dont la vue me serrait
le ventre. Ted était lui-même le porteur de
mauvaises nouvelles. Il ne le savait pas et
je ne le savais pas non plus. Il n'était qu'un
charmant jeune marin affolé par les plaisirs
de la chair. Moi, une sorte de vivante énigme
qui souffrait de n'être pas devinée et qui ne
se devinait pas elle-même. « A quoi me sert
d'être beau, me répétais-je, puisque personne
n'est amoureux de moi ? » Mais j'avais édifié
autour de moi une muraille de granit en parlant de ma vocation religieuse. *On me res-*

pectait. Ted, à peu près seul, ne croyait pas
à ce qu'il considérait comme des fariboles,
mais il me faisait peur.

★

Au début de juillet, j'eus la visite de James,
l'admirateur de Jane Austen. Il était admi-
rablement vêtu d'un uniforme bleu horizon
en drap fin et fait sur mesure, avec des
bottes qui brillaient comme de l'acajou.
Notre conversation eut lieu dans le petit
salon, et je ne sais pourquoi nous nous tînmes
debout près d'une bibliothèque en bois de
rose. J'appris qu'il s'était engagé dans l'artillerie française comme élève aspirant, à Fontainebleau, et cela malgré sa nationalité étrangère. On pouvait tourner la loi en s'engageant
d'abord dans la Légion que l'on quittait
immédiatement pour être versé dans l'armée
française. C'était d'une simplicité merveilleuse, et au bout de cinq ou six mois, on sortait de l'école avec de l'or sur les manches.
Tout en parlant, James tapotait avec une
badine de cuir ses bottes dans lesquelles se
miraient les fenêtres du haut en bas. Il y avait
de quoi perdre la tête. Du coup, j'ôtai mentalement ma bure noire d'anachorète et me

vis en bleu ciel de la tête aux pieds, avec des bottes.

Cette dernière conversation avec James m'est restée dans la mémoire précisément parce que ce fut la dernière. Nous étions loin de nous en douter. Je me souviens qu'il me parla de nouveau de Jane Austen et enfin, pauvre garçon, du camarade dont il était toujours amoureux. Ce fut alors que je lui dis doucement des choses assez dures, essayant de lui faire voir que la personne en question n'était pas digne de l'intérêt qu'il lui portait : « Un écolier, lui disais-je, le premier de sa classe, c'est tout. » Ces paroles me sont restées dans l'esprit. « Oh, tu as raison ! » s'écria-t-il, comme si je venais de le désensorceler, et pendant une minute ou deux, il eut l'air content, je crois. Je lui représentai à quel point il était bizarre de souffrir comme il le faisait *pour un garçon*. « Si au moins il s'agissait d'une jeune fille... » dis-je avec la cruauté de l'innocence. Il secoua tristement la tête et se tut. Quelques mois plus tard, en janvier 19, il fut abattu en plein cœur de Paris, boulevard Malesherbes, par un policier tirant sur un malfaiteur en fuite. La balle perdue tua net mon ami James. Je pense qu'il devait avoir vingt ans. Avoir échappé à la mort sur le front d'Argonne et finir sur le trottoir, devant l'épicerie Félix Potin...

★

Ce fut en juillet que je formai le projet de
devenir non artilleur, mais fantassin dans
l'armée française. Mon père hésitait. Ma sœur
Eléonore écrivit aussitôt de Gênes que ce
projet équivalait à un suicide et mon père se
rangea à son avis, mais il ne vit pas d'objec-
tion à ce que je me joignisse aux Américains
de Fontainebleau. Il y avait des formalités
que j'ai oubliées, puis le dix août de cette
année-là, je me présentai à la mairie du
VIᵉ arrondissement où l'on m'avait convoqué.
Dans une pièce du premier étage qui donnait sur l'église Saint-Sulpice, je trouvai un
capitaine et, assis derrière une petite table,
un sous-officier qui remplissait des papiers.
Le capitaine me pria de me déshabiller, ce
qui m'indigna intérieurement. Etait-ce pour
cela qu'ils m'avaient fait venir ? Je me rappelai ce que j'avais entendu raconter sur les
marchés de noirs dans le Sud d'autrefois et
rougis violemment. Me mettre nu comme un
esclave... Ce fut pourtant ce que je fis.
« Faites quelques pas », commanda le capitaine. La rage au cœur, je fis quelques pas.
« Celui-là est superbe », dit-il comme s'il eût

parlé d'une bête. Je me rhabillai en serrant les dents et signai un papier. J'étais dans la Légion pour vingt-quatre heures, en ma qualité d'Américain. C'est peut-être la situation la plus imprévue de ma vie.

A Fontainebleau donc, dans les premiers jours de septembre 1918, je me trouvai de nouveau faire partie d'un groupe de garçons américains qui s'étaient engagés comme moi. On nous mit en bleu horizon et dans le petit miroir d'acier qui ne me quittait jamais, pas plus que la vanité dont il était l'instrument et le complice, j'essayai de voir si j'étais beau. Je dois dire que nous fîmes tous de même, parce que tous les garçons, me semble-t-il, sont narcissistes. Il n'y eut pas jusqu'à Gerald qui ne jetât un regard furtif vers un miroir, et Gerald était d'une laideur qui défiait toute description. On ne pouvait le comparer qu'à une gargouille à moustaches. Enfin nous parlions tous anglais et nous étions tous habillés comme des soldats français et nous couchions dans une longue pièce chauffée par un poêle, tout cela d'une banalité exemplaire. J'appris à faire mon lit selon la méthode réglementaire et j'y mis un soin extrême, car j'avais la passion d'obéir. J'aimais tous mes camarades, Gerald comme les autres, ignorant ce que pouvait être une antipathie, car enfin il faut bien dire ce qui est bon avec ce qui est mauvais. Mon voisin de droite dans la chambrée s'ap-

pelait Harold et je ne sais pourquoi je lui
témoignai presque aussitôt une affection
qu'aujourd'hui encore je ne m'explique pas,
mais il me la rendit avec une spontanéité
extraordinaire. Il était un peu plus grand et
plus fort que moi, très sage, ne disant ni ne
faisant jamais rien de honteux; je lui prêtais
toutes les perfections.

Parmi mes autres camarades, je me souviens d'un garçon d'origine française appelé
Remy. Il portait une petite moustache noire
et riait de tout d'un air sarcastique. Si j'ai
bon souvenir, il était peintre, mais il aimait
la poésie. Je ne sais plus quels étaient ses
poètes de prédilection, mais il m'en cita un
parmi les modernes. « Il a fait un poème
remarquable, me dit-il de sa voix mécontente. Je te récite le début : « Merde, voilà
les vers !... C'est épatant. » J'éclatai de rire
et la citation se logea dans ma tête à tout
jamais.

Il y avait aussi un Juif d'origine française
appelé Klein. Klein avait peur, en consé-
quence de quoi il tournait vers nous tous un
visage de défi. Sur son front se voyait distinctement une veine en forme d'Y. « Youpin,
disait-il. En français, c'est comme ça qu'on
nous appelle. Alors j'ai un Y sur le front. »
Cette phrase me serrait le cœur, parce qu'elle
était accompagnée d'un regard où se lisait un
mélange de tristesse, de fureur et de désespoir. Tout le monde savait que Klein avait

peur. La guerre, l'humanité, le monde l'épou-
vantaient, mais je ne sais comment, il tenait
tête comme un malheureux animal qu'on
pousse dans un coin. A cause de cela, il
m'inspirait du respect et je crois que personne ne songeait à lui reprocher sa race.

★

Dès le second jour, on nous envoya au
manège et je ne vis pas sans inquiétude ces
bêtes qui me parurent magnifiques. Elles re-
joignaient, en effet, les rêves étranges de
mon enfance et touchaient à un univers de
désirs confus et violents. J'appris immédiatement à monter en selle et me tenais assez
bien, étonné seulement quand le cheval allongeait soudain le col vers la terre, car
alors il semblait n'avoir plus de tête aux
yeux du cavalier. Nous avions pour profes-
seur un jeune lieutenant féroce qui nous faisait rire parce que, voulant nous forcer à
trotter dans le manège alors que nous pré-
férions marcher au pas (c'était plus sûr), il
criait dans son anglais bizarre : « I *will* you
trot ! » (Je veux que vous trottiez). Finale-
ment les chevaux s'émouvaient, le son volait

et il y avait un grand tumulte entre les murs du manège.

La semaine suivante, on nous mena à cheval dans la forêt. L'un de nous, un grand garçon nommé Baker, mince et portant lunettes, déjà très bon cavalier, nous donnait des conseils qui nous agaçaient. Un jour, il passa près de moi au galop et me cria : « *You enervate your horse* ! (Tu énerves ton cheval). Je lui lançai un regard homicide, mais il y avait du vrai dans sa remarque, car je tirai trop sur le mors et mon cheval finit par le prendre aux dents. A toute vitesse, il m'emporta. J'entendis le bruit multiplié des sabots sur la route et me laissant aller en arrière je me livrai entièrement à son bon vouloir. Peut-être me sut-il gré de n'avoir pas commis la faute honteuse, mais combien naturelle, de jeter mes bras autour de son cou. Une minute plus tard, nous avions quitté la route et traversions la forêt au grand galop. Il eût suffi d'un branche malencontreuse pour m'ouvrir le crâne, mais je ne songeais pas du tout au danger. Bien au contraire, j'éprouvais une volupté singulière à sentir entre mes jambes cette bête à la nudité splendide. Un des rêves de mon enfance s'accomplissait. J'étais centaure. J'aimais ce cheval et il le savait, car l'intuition du cheval est immédiate et infaillible et il juge toujours correctement la personne qu'il porte sur le dos. Le plaisir que je res-

sentais n'était pas érotique de la manière
qu'on l'entend d'ordinaire, mais je n'en suffoquais pas moins de bonheur. Il me sembla
que je volais et en même temps ne formais
qu'un avec cet être royal et puissant qui faisait fuir la terre sous ses sabots. Au bout de
quelques minutes, il ralentit son allure et
renâclant d'un air vainqueur prit d'un pas
plus tranquille le chemin de l'écurie. Le soir,
j'eus l'impression d'avoir été roué de coups
de la nuque au talon, mais je pensai avec
délices à cette furieuse galopade à travers la
forêt immobile et attentive.

★

Je passe sur les cours de balistique qui
m'ennuyaient à périr, sur les exercices en
champ de tir — le 75, le 155 long — parce
que ces choses futiles sont indignes de mémoire. Dès quatre heures de l'après-midi,
à certains jours, nous étions libres, et j'allais
m'asseoir sur un banc, dans le parc, pour lire
Baudelaire que j'avais toujours dans ma
poche. J'étais seul, je m'enivrais de ces vers
et de cette prose où je croyais entendre une
voix, une vraie voix, alors que la plupart

des livres sont muets, et cette voix souve-
raine m'instruisait de tout ce que je ne savais pas, m'apprenait la tristesse du plaisir,
le néant du monde et l'attrait du néant, ravissait mon cœur et mon esprit comme aucun
livre de piété n'avait su le faire, parce que,
montrant la chair dans toute sa gloire, il m'en
révélait aussi la mélancolie insondable. Tour
à tour, il séduisait et désenchantait. La terreur et l'invincible fascination du péché, je
les sentais en lui comme en moi, il se jetait
dans le mal, mais le mal restait le mal et
quelque part au fond de ce cœur mystérieux,
le paradis resplendissait. Je n'étais pas assez
intelligent pour saisir la force de ces contradictions intérieures, mais je les portais toutes
en moi et j'écoutais avec émerveillement ce
poète qui a parlé comme jamais poète ne
parla en aucune langue.

Cette espèce de vénération que j'avais
pour Baudelaire, je lui suis resté fidèle toute
ma vie. Je l'ai lu dans le monde, je le lirais
dans un monastère si j'avais le bonheur d'y
faire une retraite. Rien chez lui ne contredit
la foi, on dirait plutôt qu'elle s'alimente à
cette source vive qui jaillit d'un Eden dé-
vasté par la faute originelle. Il est plus chrétien que bien des prédicateurs qui éloignent
de la religion en la rendant ennuyeuse, alors
qu'il laisse intact son visage sévère qui ne
nous quitte pas du regard. Je pensais vaguement à toutes ces choses en voyant le

soleil se coucher dans l'or de septembre, sur les parterres de Fontainebleau.

J'achetais dans les librairies de la ville tous les livres que je pouvais trouver de Léon Bloy. Le moins qu'on puisse dire de lui est qu'il parle de la religion sans fadeur et c'était le tonique dont j'avais besoin, mais je ne savais pas bien qu'au fond de moi dormait un fanatique et que Léon Bloy le réveillait. Je voulais l'absolu sans avoir fait le chemin intermédiaire, je voulais beaucoup de choses auxquelles je n'avais pas droit, parce que je n'avais jamais vraiment mené la simple vie chrétienne, qui est une vie d'amour. Je désirais âprement les fruits de la victoire sans avoir jamais combattu. Je ne résistais aux tentations que parce que ces tentations étaient faibles, non parce que j'étais fort. Je ne savais pas ce que c'était que d'être tenté au bout de tout son courage, je ne savais rien, et dans mon orgueil, je me voulais saint.

On se demandera pourquoi, ayant fait le vœu de ne jamais tuer personne je m'étais engagé dans l'artillerie. A cette question, je ne puis répondre. Peut-être sentais-je, comme beaucoup de monde autour de moi, que la fin de la guerre était proche, ce qui diminuait considérablement le mérite que j'avais eu à offrir mes services.

★

Tous les samedis, nous avions une permission de 24 heures que j'allais passer naturellement à Paris (mes camarades également, mais pour des raisons différentes). Notre lieutenant instructeur, un aimable Toulousain, me dit un jour en confidence : « Une fois par semaine, à votre âge, c'est bien assez. » Je ne savais ce qu'il voulait dire, ou plutôt je le savais et ne voulais point le savoir, parce que cela me scandalisait, étant donné l'état d'esprit où je me trouvais alors, tout à la chasteté. Le dimanche matin, j'entendais la grand-messe à la chapelle de l'avenue Malakoff, immense bâtisse qui dépendait de Saint-Honoré d'Eylau. De tout mon cœur, j'écoutais les chants liturgiques, je respirais l'encens et regardais briller les lumières du maître-autel. Tout me ravissait, même le prône un peu terre à terre du chanoine Soulange-Bodin. J'étais fier d'être catholique. Je me croyais la conscience parfaitement nette. Dieu ayant, selon moi, oublié mes péchés, je pouvais raisonnablement me compter dès maintenant parmi les élus qui sont, comme on sait, en petit nombre. L'après-midi, j'allais me repaître des chants

du salut, à la chapelle de la rue Cortambert.
Ces voix étaient comme un flot sur lequel je
voguais et je puis dire que je ne me sentais
plus de bonheur, un bonheur d'enfant, je le
sais bien, mais Dieu me traitait comme un
enfant. M'a-t-il jamais traité autrement ? Je
me figurais qu'il m'avait dit de mettre ma
main dans la sienne. Il y a des âmes qu'il
laisse aller toutes seules devant lui, sur la
route, de grandes âmes. La mienne, non. Elle
vacillait trop, il fallait la soutenir, comme
fait une mère, puisque Dieu est aussi une
mère selon le prophète Isaïe. J'avais besoin
du sensible, de ce qui se voit, de ce qui se
respire. Ma religion était ainsi.

★

A l'Ecole, j'étais à peu près nul en balistique. On nous donnait à résoudre des problèmes que je considérais avec horreur, parce
que je voyais ressurgir sous mes yeux le cauchemar de mon enfance avec des chiffres, des
figures de géométrie et des termes obscurs
dont un seul m'est resté dans la tête à cause
de la manière dont notre lieutenant toulousain le prononçait. Il nous parlait, en effet, de
trasmission d'orientation, n'arrivant pas à dire

transmission. C'était un très brave homme aux jambes courtes, à la moustache d'encre et à l'accent savoureux. Il me considérait comme un cas désespéré, mais il pressentait aussi que cela n'avait plus beaucoup d'importance et que je n'aurais sans doute jamais à diriger un tir. Un jour, afin de se rendre compte de nos connaissances en français, il nous fit faire une rédaction sur ce que nous avions vu au front et ce qui nous avait le plus frappé. Je choisis de parler d'un camp de prisonniers allemands que j'avais vu en Argonne. « C'est ce qui m'a fait l'impression la plus forte, écrivis-je, et il faudra bien que l'on s'en contente. » Pourquoi cette phrase impertinente ? Je suis incapable de répondre, mais elle est la seule dont je me souvienne et ne fut pas relevée. Il y avait en moi un fond d'arrogance qui m'inspirait ces attitudes bizarres. Je tenais tête sans raison. Quoi qu'il en soit, je me souviens parfaitement de ce que je disais dans cette page sur les prisonniers allemands. Après avoir expliqué que depuis le début de la guerre, on m'avait dit comme à tout le monde que les soldats allemands étaient des monstres, qu'ils coupaient les mains aux enfants, etc., j'avais eu la surprise de voir que ces prisonniers, derrière leurs barbelés, ne différaient en rien de nous autres. On jugea peut-être que j'avais mauvais esprit, mais je suis plus fier d'avoir écrit cette page qui

a disparu depuis longtemps que de beaucoup d'autres que j'ai laissé imprimer depuis. Aujourd'hui, je me souviens assez mal
de ces prisonniers. Je les revois, les mains
dans les poches, l'air maussade, les jambes
écartées, avec je ne sais quoi de dédaigneux
dans le regard quand mon attention se dirigeait sur eux, car ils ne voyaient en moi
qu'un petit Américain bien nourri qui n'avait
jamais pris part à une bataille, et ce mioche
en uniforme venait les examiner comme des
animaux dans un zoo. Le coup d'œil dont
me couvrit l'un d'eux m'est resté présent.
L'arrogance, cette fois, se trouvait de l'autre
côté du barbelé.

Un jour que j'ôtais mes houseaux dans la
chambrée, je vis entrer Klein, mais un Klein
que je ne connaissais pas. Jetant son képi
et sa cravache sur son lit, il promena autour
de lui un regard tranquille et risqua une
plaisanterie que j'ai oubliée. J'appris bientôt qu'il avait fait des prouesses avec le cheval qui lui inspirait de si cruelles frayeurs,
forçant cette bête à exécuter les plus hardies
caracoles et jetant l'admiration dans l'esprit
des spectateurs. Malheureusement, je n'avais
rien vu de toutes ces belles choses, me trouvant sans doute emporté au loin par le bon
plaisir de mon cheval qui me menait exactement où il voulait, comme il faisait toujours, mais j'entendis la rumeur flatteuse
qui réhabilitait Klein aux yeux de tous. A

présent, la veine en Y pouvait saillir sur son front et il n'y songeait plus. Simplement, il était devenu un autre homme. Cette transformation me frappa comme une sorte de miracle intérieur.

★

Le 11 novembre tomba un jour de semaine, ce qui navra les élèves de l'Ecole, car ils se doutaient bien qu'une gigantesque bamboula tricolore secouerait la capitale, et comme c'était bête d'avoir à célébrer l'armistice dans la petite ville endormie ! De misérables lampions éclairèrent la triste façade de la mairie et cinquante ou soixante personnes s'assemblèrent pour contempler ce spectacle déprimant dans le soir humide. Après quelques frissons, elles rentrèrent se coucher. Je me promenai dans la grand-rue, cherchant à m'exalter et n'y réussissant pas, parce que nous attendions la nouvelle depuis plusieurs jours comme quelque chose de quasi certain. J'étais heureux, mais comme il m'arrive encore aujourd'hui, j'avais besoin d'un certain temps pour m'en rendre compte. De même, les malheurs ne m'atteignent pas du premier coup. L'émo-

tion chez moi est toujours en retard sur
l'événement, ce qui explique le calme incompréhensible avec lequel je reçois les
bonnes et les mauvaises nouvelles. Les mains
dans les poches de mon manteau, je me
portai de côté et d'autre. Pour la vingtième
fois, j'allai lire, sous la voûte de la grande
porte qui s'ouvrait sur une caserne de la
ville, un bulletin mystérieux fixé par une
punaise sur une planche de bois. Le soldat
Untel avait été puni de tant de jours de
cachot pour avoir essayé de faire violence à
une demoiselle du voisinage. Rien de difficile à saisir dans cette histoire.

Mais au-dessous, sur un autre papier, se
lisaient des conseils aux jeunes militaires
concernant leurs rapports avec les femmes
s'ils voulaient éviter les vilaines maladies.
Je me rappelai mon oncle Willie et rien qu'à
prendre connaissance de ces phrases si nettes
je me sentis déjà contaminé, ce qui me remplit d'effroi, mais je restai cependant pour
relire les derniers mots qui m'intriguaient
au-delà de toute mesure : « Soyez égoïste. »
Qu'est-ce que cela pouvait vouloir dire ? En
rentrant à l'Ecole, je me félicitai de n'avoir
aucunement le désir de faire violence à personne et de n'être pas exposé au cauchemar
de la syphilis. Dans quel monde inquiétant
nous vivions ! Pourquoi fallait-il qu'il y eût
cet acte étrange qui faussait tout, ces désirs
fous, cette maladie infernale courant sur les

traces des amoureux ? Je rêvais d'une humanité toute différente qui se perpétuerait je ne sais comment, sans passions, sans brutalité. On ne souffrirait plus. Un cœur d'enfant battrait dans chaque poitrine. Dans mon innocence, je ne me rendais pas compte que c'était là une vision digne d'un asile de fous. Déjà la terre est une vallée de larmes. L'enfance triomphante en ferait ni plus ni moins qu'un enfer. Mais je n'avais pas lu Freud.

★

Je ne sais ce qui se passa ensuite. Entre le 11 novembre 1918 et le début de 1919, il y a un blanc. Je sais seulement que vers ce moment-là, sans doute avant Noël de 1918, nous quittâmes tous l'école avec un superbe galon d'or sur la manche, un galon en forme de V qui montait très haut, presque à la moitié de l'avant-bras. Tous, nous avions passé l'examen, même moi avec mes dessins impertinents où je proposais comme cibles l'église, l'école et la mairie, mais on ne faisait pas attention à ces bêtises. La guerre était finie. On nous faisait cadeau du galon en V, on nous dit que si nous le désirions nous pouvions être démobilisés séance te-

nante ou faire un séjour de quelques semaines — à nous de fixer la limite — en pays
occupé.

Je rentrai chez nous le 3 janvier et dis à
mon père que je voulais me faire moine à
l'île de Wight. Oublierai-je jamais cette
scène ? Ma sœur Anne était présente. Nous
nous tenions tous les trois debout dans la
salle à manger et Anne me mit les bras autour du cou en pleurant. « Papa, dit-elle, ne
le laisse pas partir ! » Mon père réfléchit un
instant et dit : « Puisqu'on t'offre un séjour
en Allemagne, je suis d'avis que tu acceptes.
Tu n'auras peut-être plus l'occasion de voir
ce pays. Là-bas, tu réfléchiras et à ton retour, tu me diras ce que tu as décidé. Tu
feras ce que tu voudras, à ce moment-là. »
Désobéir à mon père me paraissait impossible. Je ne lui avais jamais dit non de ma
vie, pas plus qu'à ma mère. Je m'inclinai
donc et le lendemain partis, non pour la
Rhénanie, mais pour la Bretagne où se trouvait le régiment auquel j'étais affecté et dont
les casernes étaient alors à Rennes.

★

Sous un ciel de pluie, cette ville me parut
d'une tristesse extrême. J'admirai les vieilles

maisons de bois, la demeure de Du Guesclin, mais je fus scandalisé par la cathédrale parce qu'elle n'était ni gothique, ni romane, mais XVIIIe. J'étais si bizarre que prier dans une église de cette époque me donnait mauvaise conscience, mais il s'agissait bien de cela. A la caserne, on me donna une chambre comme à un officier, pourtant ce fut au mess des sous-officiers que je devais prendre mes repas. Je n'en pris qu'un seul. C'est même beaucoup dire. Je ne fis que m'asseoir pour me lever et disparaître un instant plus tard, car la soupe à peine servie, dans une grande marmite posée au milieu de la table, un sergent, avec de grands éclats de rire qui me donnèrent le frisson, tira de ce liquide fumant un gros rat qui s'y était noyé. Sans un mot, j'enjambai le banc sur lequel nous étions assis et gagnai la porte. Le mess ne me revit plus.

J'errai ce soir-là dans les rues, n'ayant en poche que quelques francs, et fus bien heureux de pouvoir m'offrir dans une pâtisserie en plein vent quelques galettes de sarrasin que je dévorai. La ville était mal éclairée. J'allai de côté et d'autre, ne sachant que faire de mon temps, et les passants étaient rares. Tout à coup j'entendis fredonner derrière moi et me retournant je vis deux soldats américains. Ils étaient si grands, si roses et si beaux que je demeurai interdit. Tous les deux portaient des uniformes coupés à ravir, avec un chapeau incliné sur le front, des guêtres d'un beige clair qui paraissait blanc, et sur la manche un brassard sur lequel se lisait M.P. (*Military Police*). Comme ils passaient près de moi, j'entendis l'un dire à l'autre : « C'est un officier. On le salue ? » Son camarade me considéra, me trouva sans doute l'air enfant et répondit d'une voix calme : « Inutile. » L'idée me vint de leur parler en anglais, mais il y avait dans leur attitude quelque chose de si tranquillement dédaigneux que je m'abstins. Ils passèrent comme des dieux et l'un d'eux se mit à chanter à mi-voix une chanson où il était question du plaisir qu'il y avait à faire asseoir une fille sur ses genoux. Cette rencontre me troubla à un degré que je ne saurais dire et je n'arrivai pas à comprendre pourquoi elle m'avait donné un tel choc. Aujourd'hui encore, j'entends la voix jeune du soldat qui chante et cela me reporte si loin en arrière que j'en éprouve une sorte de vertige.

J'étais dans un état de ferveur spirituelle qui me faisait trouver agréables la froideur de la nuit et cette grande solitude. Quelques jours auparavant, j'avais écrit au Père X. et la réponse m'était arrivée par retour de courrier que, se trouvant à Vannes et devant se rendre à Paris, il ferait, pour me voir, un bref séjour à Rennes. Je ne sais plus bien comment ces choses s'arrangèrent. A Rennes,

il devait descendre à l'hospice Saint-Melaine
et il était convenu que je l'attendrais à la
gare, ce que je fis. A sept heures du soir, dans
ce lieu sinistre et mal éclairé, je le trouvai
enveloppé d'un grand capuchon noir et il me
prodigua des félicitations gentiment ironiques
sur l'élégance de mon uniforme, puis un
fiacre nous conduisit à Saint-Melaine et nous
montâmes à sa chambre. Là, sans avoir même
ôté son capuchon noir, il me dit : « Mon enfant, permettez-moi de vous embrasser. »
J'étais si peu rompu aux usages ecclésiastiques
que, le voyant s'incliner vers moi, je posai mes
lèvres sur chacune de ses joues, alors qu'il
se contenta d'effleurer mon visage du sien.
Il me parla ensuite de la grâce immense
qui m'était faite, de l'admiration qu'il avait
pour mon père qui ne s'était pas opposé à
ma vocation (« C'est un chrétien, mon enfant ») et par son discours m'éleva à un
degré d'exaltation muette que je n'avais jamais encore connu. Je revois la chambre
glaciale, la grosse valise posée aux pieds du
prêtre qui me parle de sa voix déchirée et
dont le regard clair plonge tout au fond du
mien. Pendant plusieurs minutes, je me
crus déjà au ciel tant j'avais le désir de m'y
envoler.

Que se passa-t-il le lendemain ? Je ne le
sais pas. Le Père séjourna, je crois, encore
un jour ou deux à Rennes où il avait à faire
et je suis presque sûr d'avoir entendu une

messe qu'il dit en ma seule présence. Je m'étais acheté pour quelques sous l'autobiographie de Marguerite-Marie Alacoque que j'avais lue en quelques heures. Ce livre étrange eut sur moi un effet que j'appellerais magique s'il ne s'agissait pas de religion, car il m'arrachait au monde, et maintenant encore, je n'en puis retrouver certaines phrases que je n'éprouve de nouveau ce sentiment indescriptible d'être transporté dans une région au-delà de la terre. Le langage à la fois gauche, noble et suranné, opérait en moi comme un philtre. A d'autres les mortelles délices du péché telles que les décrivait Boccace ! Moi, je voulais être sauvé et je sentais bondir je ne sais où dans mon être une âme chrétienne impatiente de se voir délivrée de ce corps de mort dont parle saint Paul.

J'ai le sentiment qu'à cet endroit de mon récit il manque quelque chose et que des grâces me furent faites dont je ne puis rien dire, parce que je n'en avais pas nettement conscience et que le souvenir s'en est perdu. Ce qui est certain, c'est qu'à partir de septembre ou d'octobre 1918, je connus une ferveur qui alla croissant jusqu'à la fin de cet hiver. Je me souviens qu'il m'était agréable d'avoir faim et froid dans les rues de Rennes, me sentant ainsi plus près de l'Evangile. Les petits vers de Marguerite-Marie, loin de me faire sourire, me jetaient dans un état indescriptible. Il me semblait que les maisons autour de moi n'existaient plus, que tout ce qui était visible s'effaçait pour livrer la place à un bonheur qui n'avait pas de nom.

> *L'amour triomphe, l'amour jouit,*
> *L'amour du saint Cœur réjouit !*

Je me redisais ces mots avec une sorte de frayeur émerveillée, car je savais l'effet immédiat qu'ils auraient sur moi. Mon cœur se mettait à battre comme pour répondre aux battements d'un autre cœur, et j'avais l'impression que des milliers de voix chantaient ces vers à des hauteurs incalculables.

★

Je ne mangeais plus du tout à la caserne, à cause du rat, et je pense que je me nourrissais de crêpes, car je n'avais que fort peu d'argent, mais je ne restai pas longtemps à Rennes, et dans le train qui me ramenait à Paris, quelques jours plus tard, je me trouvai assis à côté du Père X. Pourquoi ? C'est ici que la mémoire me fait défaut, une fois de plus. Je revois très bien la scène sans pouvoir m'en expliquer les raisons. Le Père ne pouvait faire qu'un court trajet avec

moi, cela, je m'en souviens. Retournait-il à
Vannes ou allait-il ailleurs ? Je n'en sais
rien, mais je me rappelle que le compartiment était plein et que devant tout ce monde,
le Père m'interrogea sur mon séjour à Rome,
et comme je lui vantais naïvement les beau-
tés de Saint-Pierre, il me demanda si cette
église était gothique ou romane. Faisait-il
cela pour attirer sur lui l'humiliation de paraître ignorant ? Je me le demande. En tout
cas, au lieu d'esquiver la question comme
je l'aurais fait si j'avais été plus fin et plus
charitable, je le considérai d'un air très légèrement surpris et lui répondis lourdement :
« Ni l'une, ni l'autre, mon Révérend Père.
Elle est Renaissance. » Il fit : « Ah ? » d'un
air très modeste et inclina la tête comme
quelqu'un qui vient de recevoir une leçon.
J'en éprouvai aussitôt une certaine confusion, mais le moyen de rattraper mes paroles ? Nous nous quittâmes un moment plus
tard.

★

Avant de continuer ce récit, il faut que je
dise un mot d'une visite que je fis à Brest,
voyage que je fis pour rien, me semble-t-il.
De cette ville, il ne me reste à peu près au-

cun souvenir, sinon celui d'une rue étroite,
à la chute du jour, sous une pluie fine. Je me
répétais, comme cela m'arrivait souvent
lorsque je me promenais pour la première
fois dans une ville : « Tu es à Brest, tu vas
et tu viens dans un endroit que tu n'as jamais vu. » J'aurais tout oublié sans doute,
si un détail ne m'était revenu. J'avais dîné
dans un restaurant modeste et il y avait non
loin de moi plusieurs personnes qui parlaient
haut, et parmi elles, un gros homme à face
rouge. Mon repas fut court et le hasard voulut que je sortisse en même temps que ces
gens, qui, eux, avaient apparemment beaucoup mangé et beaucoup bu. En passant devant moi, le gros homme rouge me lança
un coup d'œil complice et s'écria d'une voix
épaisse : « Et maintenant, allons acheter un
peu d'amour ! » Ces paroles me remplirent
d'horreur à cause des mots acheter et amour
joints ensemble avec tant de brutalité. Je
me souviens qu'en sortant, je me trouvai
dans une rue mal éclairée et qu'une tristesse
épouvantable m'envahit. Il bruinait et les
pierres de la chaussée luisaient comme du
métal. Je ne vois rien d'autre.

A peine revenu à Paris, je réitérai à mon
père ma décision de devenir moine. Avais-
je reçu la permission de passer quelques
jours chez moi ? Je ne sais plus. J'avais été
informé que mon régiment serait désormais
stationné à Metz où j'avais ordre de me

rendre. Je ne puis que dire les choses comme elles me reviennent à l'esprit. Un matin, mon père me dit qu'ayant été baptisé, je devais recevoir la Confirmation et qu'il allait à cet effet me mener chez les Pères du Saint-Esprit où l'archevêque de Paris allait administrer le sacrement en question à plusieurs personnes. N'est-il pas étrange d'avoir à écrire que je ne savais que vaguement de quoi il s'agissait. Une préparation était-elle nécessaire ? Je l'ignorais. Comme toujours, je dis oui à mon père et le suivis. A présent, je me revois dans une chapelle, à genoux près d'un pilier, avec huit ou dix personnes. Une religieuse me donne un papier plié que j'ouvre et sur lequel je vois écrit le nom de Michel. « Ce sera, me dit la religieuse, votre nom de Confirmation. » Je reste à genoux, le cœur me bat fortement, Monseigneur X. vient vers nous, se penche sur l'un, puis sur l'autre, arrive à moi, me donne une petite tape sur la joue, tout en récitant des prières, continue son chemin. Je ne me souviens de rien d'autre, sinon que rentré chez moi, j'écrivis une lettre débordante de joie à la religieuse américaine dont j'ai parlé ailleurs et qui se trouvait alors à Angers. Cette lettre dont les termes enfantins me sont restés dans la tête, pour ma plus grande confusion, m'est garante que j'ai reçu le sacrement de Confirmation dans les dispositions requises, malgré mon ignorance, et je n'en revenais pas d'avoir pour patron *Quis ut Deus,* le chef des légions fidèles !

★

Je dus partir pour Metz le 20 ou le 22 janvier, et de cette ville que je n'ai pas revue depuis, je n'ai qu'un souvenir confus de rues noires et boueuses ainsi que de la masse sombre et un peu sinistre que faisait la cathédrale. Une heure ou deux m'étaient permises dans cette région et je pense que je dus aller signer des papiers dans une caserne et y recevoir ma feuille de route. Je me souviens, en tout cas, que je reçus l'ordre de me rendre à Haguenau où me seraient données des instructions, et je me souviens encore m'être posé des questions sur ce personnage pour moi fabuleux qu'était l'artilleur de Metz, car enfin j'étais moi aussi artilleur et me trouvais à Metz, mais je manquais totalement d'information sur le militaire célébré par une chanson dont personne n'avait jamais voulu me dire les paroles. Une fois ou deux, j'avais demandé à des camarades de combler cette lacune dans mon instruction, mais on me répondait en riant que ma pudeur en souffrirait et je

n'osais insister. Il devait, pensais-je, se com-
porter comme les personnages dans les vilains albums de M. Kreyer, et à présent elles
me souciaient si peu, ces choses...

Je me sentais tranquille et loin d'un monde
auquel je croyais de moins en moins, le
monde où l'on saluait les officiers, où l'on
prenait des chemins de fer. Ceci me rappelle
un petit incident que j'aurais dû noter plus
tôt. Un soir que j'étais au cinéma avec une
de mes sœurs, en octobre 1918, je vis dans les
actualités une scène qui avait été tournée
un peu en arrière du front, pendant une des
dernières batailles de la guerre. Une idée me
vint que je voulus noter immédiatement et je
griffonnai quelques mots sur le premier
papier que je trouvai dans la poche intérieure
de mon veston : mon acte d'engagement dans
la Légion. J'écrivis donc que tout ce que je
voyais sur l'écran n'était peut-être pas vrai,
que la guerre, toute la guerre, n'était peut-
être qu'une illusion ou pour mieux dire la
projection de ce que nous portions en nous.
Simplement, le monde extérieur n'existait
pas tel que nous le voyions. On ne pouvait pas
même prouver qu'il existât. Ce qui existait
était en moi, dans ma tête, et je ne pouvais
pas le voir, mais si j'étais calme et heureux,
je voyais des arbres, de l'eau, des collines,
et si j'étais troublé, je voyais des hommes
en train de se battre, des canons, de la terre
projetée dans le ciel par des obus. A ce

compte-là, dans quelle mesure le prochain existait-il ? Il existait comme moi, en proie aux mêmes illusions, mais il ne voyait pas les mêmes choses que moi parce que nous étions différents, parce que je n'étais comme personne. Là où il voyait du bleu, par exemple, je voyais peut-être du noir et nous n'étions d'accord que sur le terme employé. Son bleu correspondait à ce que j'appelais du noir. Mais dans ce système que je trouvais passionnant, que devenait la réalité de mon visage ? A cela, je répondais que mon visage correspondait à une idée que je me faisais de moi-même. Ce qui était douteux, c'était la matière. Les images étaient vraies, mais ce n'étaient que des images. La réalité se trouvait derrière tout cela, était essentiellement invisible. Je ne sais d'où me venaient ces pensées étranges, mais ce qui est certain, c'est qu'elles me marquèrent pendant de longues années et que j'en vois des traces dans toute mon œuvre.

J'éprouvai un sentiment d'exaltation dont je ne dis mot à personne et repliant le papier que je glissai dans ma poche, je me crus libéré d'un seul coup de toute attache avec le monde visible et ce qu'il contenait de triste et de médiocre. Le secret de tout venait de m'être livré. Les livres merveilleux que j'avais lus, les tableaux du Louvre, les statues, tout cela, c'était moi, c'était ce que j'imaginais. D'autres imaginaient des choses différentes, mais ce que je voyais me ravissait. Ainsi, le visage de Ted était une pensée d'une beauté exceptionnelle, de même le visage de Roger, au lycée, mais ce que faisait Roger avec ses voisins était le signe visible d'un péché intérieur, ce n'était qu'un signe sans réalité en soi. Tout était intérieur.

Alors, que devenait la religion ? La religion était seule vraie. Vraies étaient les paroles, car elles agissaient. Mais la chasuble de prêtre, la croix de l'autel ? Signes d'une vérité invisible et indiscutable. J'allai plus loin. L'hostie consacrée ? L'hostie consacrée était la seule réalité dans un monde d'apparences. De même, le Christ lorsqu'il était venu sur terre était vrai dans un monde de cauchemar. Sa main était une vraie main, ses yeux, de vrais yeux.

Je ne puis dire que ces pensées m'aient complètement abandonné aujourd'hui. Il m'en reste une teinture qui explique tout mon comportement dans la vie appelée réelle, mais sur ce point, il y aurait trop à dire, et d'abord, quelle importance cela peut-il avoir ? Si j'en parle, c'est que ce récit n'est pas tout à fait ce que les Allemands nomment une *Lebensbeschreibung,* mais plutôt un voyage, une exploration à l'intérieur de moi-même. La réalité des mots, la réalité du papier, la réalité de cette main qui écrit, j'y crois, sans doute, mais non à l'excès.

Avec une philosophie aussi bizarre, est-ce

que je ne faisais pas de mon prochain un
fantôme ? Mais non. J'avais au contraire
cette idée que je devais le sauver, ce qui
m'inspirait quelquefois des paroles très indiscrètes, ainsi que je le montrerai plus tard.
Et d'abord, d'où m'étaient venus ces soup-
çons sur l'existence réelle du monde sensible?
Je n'en sais absolument rien. Je n'avais jamais beaucoup lu de philosophie, mais je
devais à ma mère, par la grâce de Dieu, une
foi inébranlable dans la patrie invisible. De
là à conclure que toute patrie visible était
d'une réalité moins profonde et même d'une
réalité contestable, il n'y avait qu'un pas
facile à franchir pour une imagination
comme la mienne. Des phrases de la Bible
venaient à mon secours : « Mon royaume
n'est pas de ce monde » (ce monde était
donc suspect) « Le prince de ce monde... Le
dieu de ce monde... » Prince et dieu du
néant.

Il est étrange de penser que l'expérience
charnelle soit le plus souvent nécessaire pour
faire d'un enfant un homme. L'expérience
charnelle me manquait. Ainsi fut préservée
en grande partie une sorte d'enfance intel-
lectuelle qui dura jusqu'à ma vingt-deuxième
année. Préservée aussi une certaine qualité
de foi qui ne fut mise en danger par les
passions que bien après mon adolescence.
A cause de cela, et malgré tous mes efforts
pour me persuader du contraire, elle ne

disparut jamais tout entière de mon cœur.
Plus tard, je me détournai du Christ, parce
qu'il gênait chez moi l'assouvissement de ma
faim charnelle, mais je n'osai le renier tout à
fait. J'essayais d'ignorer son existence, je ne
pouvais faire qu'il oubliât la mienne.

★

Dans cette sorte de rêve éveillé qu'était ma
vie, je me rendis à Haguenau où je me présentai à un officier derrière une table. Apprenant que j'étais américain, il me posa toutes
les questions auxquelles je pouvais m'attendre et après quelques banalités débitées avec
bonne humeur, il me donna un papier et me
dit d'attendre au coin de telle rue le passage
d'une voiture qui me mènerait à destination.
Ici se place un des souvenirs les plus lumineux de ma vie entière. J'attendais au coin
d'une rue, à la chute du jour, quand je vis
s'avancer une petite carriole revêtue d'une
bâche. Elle s'arrêta devant moi et j'en vis
descendre un jeune soldat qui me salua en
me donnant du « mon lieutenant », ce qui me
procura un plaisir sensible, car je ne savais
pas au juste si j'étais un officier ou non, et
nous allâmes tous deux à la gare pour y cher-

cher ma cantine. Ce fut le soldat qui se chargea de tout. Je me souviens que la soirée s'annonçait glaciale et qu'il insista pour me mettre une couverture sur les genoux, cette carriole mal protégée par la bâche étant ouverte à tous les vents.

Je ne sais plus le nom du village où nous devions nous rendre, mais nous fûmes plus de deux heures sur les routes et je vis se lever la lune et les étoiles dans un ciel noir au-dessus d'une vaste étendue de neige. Mon compagnon parlait peu et je crois que, le froid aidant, il somnolait de temps à autre, mais quant à moi, je me sentais devenir la proie d'un bonheur si vague et si fort que je pensais n'en avoir jamais connu de tel. La neige amortissait le bruit des roues et des sabots du cheval et l'air me mordait les oreilles, mais j'avais le sentiment que je me détachais de moi-même et que je pénétrais dans je ne sais quel royaume de splendeur étrange. Le mot firmament me revenait sans cesse à l'esprit parce que c'était un mot qui scintillait et que du ciel m'arrivait comme du fond d'un abîme une voix à la fois énorme et silencieuse. Que disait-elle ? Je n'aurais su en donner la moindre idée. Elle parlait cependant, elle me parlait et en me parlant elle me rendait heureux. Que n'ai-je compris ce qu'elle voulait me dire ! Bien du temps devait s'écouler avant qu'elle parlât de nouveau, et cette nuit-là, sur une route

d'Alsace, je dis adieu sans m'en rendre
compte à toute une partie de moi-même.

★

Il devait être environ neuf heures du soir
quand nous arrivâmes dans ce village dont
j'ai oublié le nom, mais qui devait se trouver sur la route de Wissembourg, et c'était
un vrai village d'Alsace, avec des maisons
aux toits immenses qui s'inclinaient comme
les toits d'un château de cartes, mais je ne
vis pas grand chose, sinon la neige sur la
terre et ces grands toits verticaux sous un
prodigieux semis d'étoiles. J'avais l'impression de me promener dans une image de
Noël et j'en éprouvai une gaieté tempérée
seulement par la perspective de rencontrer
dans un instant des personnes inconnues.
Il faisait très sombre, malgré cette lumière
diffuse qui montait du sol blanc. Le soldat
prit ma cantine et me guida vers une porte
qu'il ouvrit. Nous nous engageâmes dans un
couloir mal éclairé et là, devant une autre
porte, le soldat me quitta en me disant de
frapper.

J'étais timide et frappai assez discrètement.
Une ou deux secondes plus tard, assez ému,

j'étais dans une petite pièce où il faisait
trop chaud et je vis trois officiers assis près
d'une table. Rien qu'à tracer ces mots sur
cette page, il me semble qu'une fois de plus
je suis entre ces murs et que j'attends qu'il se
passe quelque chose. Pourquoi ces hommes
ne disent-ils rien ? Je salue gauchement sans
me présenter, et parce que je les vois tous
découverts, j'ôte aussi mon képi. Ils ont l'air
stupéfaits. Ne m'attendaient-ils pas ? Tout à
coup, l'un d'eux se lève, le plus âgé, un lieutenant; les autres l'imitent et viennent vers
moi en riant.

— C'est vous, l'aspirant qu'on devait nous
envoyer ? me demande le lieutenant.

Il me dit son nom et je lui dis le mien.

— Nous rions, explique-t-il, parce que vous
n'êtes pas du tout tel que nous avions ima-
giné. On nous avait annoncé un Américain.
Nous pensions que vous auriez des lunettes
et que vous ne sauriez pas un mot de français.

Tous les trois avaient l'air si soulagés que
je me mis à rire avec eux. Le lieutenant
était un jeune homme à la carrure un peu
lourde, avec une chevelure très noire enca-
drant un visage énergique et blême. Je l'appe-
lerai Becci, bien que ce ne soit pas là son
nom véritable. De même, je donnerai au
sous-lieutenant qui se tenait près de lui le
nom de Prioux, qui n'était pas le sien. Le
sous-lieutenant Prioux ressemblait à un ani-

mal sauvage, sans doute à cause de son profil un peu fuyant et de ses cheveux roussâtres. Ces deux hommes me témoignèrent aussitôt la plus grande cordialité d'une voix bruyante qui me gêna plutôt qu'elle ne me mit à l'aise, car je n'arrivais pas à leur parler sur le même ton et cette familiarité me troublait.

Le troisième officier restait tant soit peu à l'écart et me serra la main en dernier en murmurant un nom que je ne saisis pas. Ce n'est pas sans émotion que je parle de lui, parce que son souvenir ne m'a jamais quitté et qu'il prononça un jour une phrase qui me resta dans le cœur et n'en sortit pas. Je me demande s'il vit encore et s'il se souvient de moi.

Il était à peu près de ma taille, une idée plus grand peut-être et plus élancé, d'une silhouette plus élégante. C'était même ce qui frappait chez lui tout d'abord. Avec toute sa réserve et une sorte de dignité naturelle, il avait la grâce d'un danseur et le fait est qu'il marchait comme un danseur, d'un pas élastique et léger qui faisait croire à tort qu'il ne se déplaçait que sur la pointe des pieds. Dans son visage mince et fin, ses yeux très clairs m'observaient avec attention, mais il se détourna de moi dès qu'il se fut présenté. Je devinai chez lui une politesse extrême et sentis que les manières de ses compagnons l'agaçaient un peu.

Cette première impression fut si forte qu'elle en effaça d'autres et qu'il m'est impossible de me souvenir comment cette soirée s'acheva, ni où je dormis, ni ce que nous fîmes le lendemain. Je me rappelle seulement qu'à quelques jours de là, nous quittâmes ce village pour nous rendre en un autre.

Nous allions tous les quatre à cheval et au pas, suivis des soldats avec leurs canons. Il me semble étrange que tout cela fasse partie de ma vie, tant cela me ressemble peu. Une nuit donc nous arrivâmes dans un village d'Alsace où l'habitant nous fournit les chambres dont nous avions besoin. J'étais seul dans la mienne, et je me souviens qu'en me réveillant le lendemain matin je courus à la fenêtre pour voir où je me trouvais. Je vis alors une grande cour de ferme propre et bien tenue, et cela n'avait rien d'extraordinaire, mais j'en reçus malgré tout un choc, car elle me sembla si familière que je me demandai où je pouvais l'avoir déjà vue. Or, il était impossible que je l'eusse vue, puisque je n'étais jamais encore venu en Alsace, et plus tard, en me promenant dans le village, j'eus plusieurs fois la même impression et si nette que je finis par en être intrigué comme par un mystère dont j'étais sans cesse sur le point d'avoir la clef, de même qu'on se croit sur le point de se souvenir d'un nom qui malgré tout vous échappe. Cependant, j'éprouvai jusqu'au fond de mon être un bonheur aussi rassurant qu'inexplicable. Ces grandes maisons de bois, qu'elles me paraissaient belles sous la neige ! Je n'osais dire à mes compagnons qu'il me semblait les avoir vues toute ma vie. Ils m'auraient pris pour un excentrique, ce qui ne devait pas tarder, du reste.

★

Le surlendemain, le lieutenant nous annonça que ce jour-là nous allions passer la frontière et entrer en Allemagne. Le moment pouvait être curieux et je me demandai de quelle façon nous allions être accueillis. Nous cheminions tous les quatre de front et gardions un profond silence quand nous fîmes nos premiers pas sur la terre allemande, à travers un village aux jolies maisons peintes en ocre et en vert d'eau. Les habitants se tenaient sur le pas des portes et les enfants se serraient contre leurs mères. Il n'y eut pas un mot, pas un cri, et l'on n'entendait que le pas de nos chevaux et le grondement des roues sur le pavé des rues. J'essayai de lire quelque chose sur tous ces visages qui nous considéraient, mais autant chercher une expression sur un mur de pierre.

Nous portions tous le manteau bleu horizon et la bourguignotte et j'étais soucieux de bien me tenir sur mon cheval, de paraître indifférent comme les autres, mais l'émotion me serrait la gorge. Entrer en Allemagne à cheval et en uniforme, après une longue guerre, c'était pourtant quelque chose, même si l'on ne s'était pas battu. Je regardai tout avec le désir de ne rien oublier.

★

Etait-ce ce soir-là ou le soir du lendemain ? Nous arrivâmes dans une charmante petite ville dominant une vallée profonde qui me fit songer à une illustration de l'Ancien Testament. Je me revois dans une chambre de paysan où deux lits avaient été rangés côte à côte et nous nous trouvions tous les quatre dans cette pièce à la fin d'une belle journée froide et lumineuse. Par les deux petites fenêtres, nous voyions la longue vallée que dominait un ciel rouge, et entre ces deux fenêtres un miroir au lourd cadre noir était accroché. Dans ce miror je me regardai.

Ce moment est si singulier que je ne puis m'empêcher de m'y attarder un peu. Je n'en ai compris tout le sens que beaucoup plus tard. Il y avait deux raisons au plaisir que j'avais à considérer mon image, la première étant que j'avais mis mon uniforme noir pour la première fois, la seconde, plus étrange, étant que mes compagnons, loin de se moquer de moi comme ils auraient dû, gardaient le silence et me surveillaient avec attention. Je me rappelle que lorsque je pénétrai dans cette chambre, le plus jeune des officiers, aspirant comme moi, s'y trouvait seul. J'avais peur qu'il ne rît de ma tenue, mais autant que je m'en souvienne, il ne dit pas un mot. De la pièce voisine, qui était la salle à manger, vinrent alors le lieutenant et le sous-lieutenant. Le lieutenant fit d'une voix joviale une remarque que j'ai oubliée, mais je n'oublierai pas de longtemps ce que dit le sous-lieutenant. Il sourit et se promena un instant autour de moi, la tête en avant comme un renard, puis il me félicita et ce fut alors que je risquai un coup d'œil dans le miroir. J'y vis non seulement mon image (je me demande ce que devenaient la religion et l'île de Wight dans toute cette histoire), mais aussi trois visages sérieux et attentifs. Enfin le sous-lieutenant rompit le silence pour dire : « Cette chambre a deux lits. Il est indiqué que les deux plus jeunes d'entre nous dorment ensemble dans la même

chambre. Cela vous va-t-il, aspirant ? » Cette
dernière question ne s'adressait pas à moi,
mais à mon compagnon du même grade.
« C'est comme il voudra », répondit celui-ci.

Je répondis que je préférais dormir seul.
L'aspirant détourna subitement la tête et
l'on me donna une autre chambre où je
dormis seul, en effet. Quelle maladresse
avais-je commise ? Me trouvait-on impoli ?
Comme nous dînions tous les quatre ensemble ce soir-là, je remarquai qu'on se montrait
moins cordial avec moi alors que je parlais
un peu étourdiment parce que j'étais heureux
de tout, mais peu à peu je me tus et je crois
bien que le dîner s'acheva en silence. Je dis
que je crois bien, car je n'en suis pas sûr,
mais ce dont je me souviens, c'est qu'un peu
avant de nous séparer pour aller dormir, le
sous-lieutenant s'approcha de moi et sous
couleur de me faire un compliment me dit
une phrase d'une grossièreté prodigieuse.

Je ne sais ce qui se serait passé si j'avais
compris, mais les mots qu'il employa demeu-
rèrent pour moi vides de sens. Ce fut à cause
de cela peut-être que je les retins très litté-
ralement, mais il me fallut attendre près de
quatre ans avant de savoir ce qu'ils voulaient
dire. Je le regardai en riant. « Qu'est-ce que
c'est que ça ? » lui demandai-je. Je surpris
alors dans les yeux de l'aspirant une expression de fureur et de supplication qui s'adressait au sous-lieutenant, lequel se retira sans

nous dire bonsoir. Tout au contraire, l'aspirant me souhaita une bonne nuit de sa voix douce et ferme et avec ce regard qui hésitait entre le myosotis et l'acier. Comme il me parut différent des autres ! Mais de toute cette scène à la fois si claire et si mystérieuse, je n'avais rien saisi. Je ne me posai pas de questions et ne sais qui occupa cette nuit la chambre à deux lits. Enfermé dans la mienne, j'ôtai avec respect mon uniforme noir dans lequel je pensais avoir ébloui tout le monde et après avoir fait mes prières, je me couchai et m'endormis.

Cet uniforme, ai-je besoin de le dire, je n'aurais pas eu les moyens de me l'offrir s'il avait été fait par un tailleur et c'était simplement mon uniforme d'ambulancier américain que j'avais fait teindre en noir, en y faisant ajouter la triple bande écarlate à la culotte, et sur les manches les merveilleux galons d'or où courait un fil rouge.

★

Ayant quitté la petite ville, nous nous dirigeâmes vers l'intérieur de la Sarre. J'avais appris à mieux connaître mes compagnons,

grâce aux longs entretiens que nous avions
sur la route et aux repas. Le lieutenant et le
sous-lieutenant en avaient vu de dures sur le
front. Un jour, ils me prirent à part et me
dirent que l'aspirant, qui était d'un an mon
aîné, s'était battu et très bien battu en 18, et
que son courage avait fait une forte impression. Je n'en fus pas étonné. Il portait cela
dans les yeux, bien qu'il eût l'air d'une jeune
fille et qu'il fût sujet aux larmes quand on
le poussait à bout. Je devinai que les deux
hommes l'aimaient beaucoup, mais leurs
confidences me paraissaient inutiles. En ce
qui me concernait, mes sentiments pour ce
garçon n'allaient pas au-delà de la sympathie
que j'éprouvais à l'égard de toutes les personnes de mon entourage. Il ne m'intéressait
pas outre mesure, au début tout au moins, et
je n'avais pas grand-chose à lui dire. Il arriva
qu'une fois un des deux officiers lui fit compliment de sa beauté et je le vis rougir en
détournant la tête avec beaucoup de grâce.
Beau, l'aspirant ? Je me demandai où ils
allaient chercher cela. Evidemment, il était
blond et les dieux étaient blonds. Ses yeux,
certes, étaient jolis, jolis aussi son petit nez
fin et sa bouche et ses oreilles. C'était un
très joli jeune homme, mais il manquait de
feu, de force, de férocité. Il rachetait tout
cela par une expression souvent magnifique
qui mettait entre lui et certains de ses inter-
locuteurs la distance qu'il jugeait nécessaire.

Pour m'apprendre qu'il était de bonne race, il n'avait pas besoin de me montrer un jour le petit blason dont s'ornait sa chevalière. Ce geste un peu naïf me toucha. Je me fis expliquer ce blason et le déclarai admirable.

Les circonstances voulurent que plusieurs jours après, nous fussions logés, lui et moi, dans la même maison et la même chambre. J'ai oublié le nom du village allemand, mais je me souviens parfaitement de la chambre. Elle était longue et prenait jour sur la rue par deux grandes fenêtres sans rideaux, ni contrevents. Les lits n'étaient pas placés côte à côte mais l'un dans le prolongement de l'autre et je choisis celui qui se trouvait le plus près d'une fenêtre. L'idée de passer la nuit dans la même chambre qu'une autre personne ne me plaisait guère, mais cette fois on ne m'avait pas consulté sur mes préférences. Le lieutenant avait donné des ordres auxquels j'obéissais.

Il faisait un froid cruel et je me déshabillai le plus rapidement possible en évitant de tourner les yeux vers mon camarade, mais si rapide que je fusse, il était couché avant moi et je vis sur l'oreiller son charmant visage qui m'observait. D'un bond je fus sous mes couvertures et nous nous mîmes à bavarder d'un lit à l'autre. Je me demande ce que nous trouvâmes à nous dire, mais tout à coup, il me fit remarquer que nous n'avions

pas éteint la lumière électrique dont le commutateur se trouvait près de la porte.

— Soyez gentil, voulez-vous ? demanda-t-il.
Voulez-vous éteindre ? Je me sens si bien
dans mon lit.

— Oh, je meurs de froid dans le mien.

— Alors, justement...

Que voulait-il dire par là ? Je sautai de
mon lit en riant et courus vers la porte pour
tourner le commutateur. Il y eut alors un
moment étrange, un des plus étranges assurément de toute ma jeunesse. Lorsque j'eus
éteint, pieds nus, je demeurai un instant
immobile dans l'obscurité et la tentation
subite me vint de courir vers le lit de l'aspirant. Je n'aurais pu m'expliquer d'où me
venait cette envie et ce fut sans doute à cause
de cela que je n'y cédai pas. Il y eut un profond silence et je remarquai avec émerveillement que la lumière de la pleine lune
entrait à flots dans la pièce et jetait sur le
plancher les deux grandes fenêtres et leurs
carreaux qui brillaient comme de l'argent.
Comme tout cela revit dans ma mémoire
aujourd'hui !

Sans hésiter cette fois, je courus vers mon
lit en souhaitant une bonne nuit à mon compagnon, mais je n'ai pas souvenir qu'il m'ait
répondu. Sous mes couvertures, je me félicitai de n'avoir pas fait cette chose qui me
semblait ridicule. Etais-je fou vraiment ?
Qu'est-ce que ce Français aurait pensé de

moi si j'étais allé vers lui, si je m'étais
glissé près de lui ? Sans nul doute, il m'aurait chassé à coups de poings en se moquant
de moi. Je ne comprenais pas qu'une idée
aussi bizarre me fût venue. Longtemps après,
je devinai qu'elle ne venait pas de moi et
qu'elle m'avait été suggérée.

★

Et après ? Après il y a une série de blancs.
Mais il est sûr qu'à la fin de janvier nous
étions arrivés à destination, dans une petite
ville de la Sarre qui s'appelait Oberlinxweiler. Ici, mes souvenirs sont précis, mais séparés les uns des autres par des vides. La maison où je logeais se trouvait être la dernière
sur une route et au-delà c'était la campagne.
Ma chambre était grande, pavée de carreaux
rouges, toujours glaciale. Ce froid perpétuel
auquel je ne prêtais pas la moindre attention,
car je n'étais là que pour dormir, traduisait
assez bien l'attitude des habitants de la maison à mon égard. Je ne les voyais, en effet,
jamais. Parfois, j'entendais chuchoter derrière
une porte et c'était tout. Je me déshabillais,
je me couchais. Le matin, Jarras, mon ordon-

nance, m'apportait de l'eau chaude et un quart d'heure plus tard, j'avais quitté ces lieux, que j'appellerais difficilement hospitaliers, pour aller déjeuner cent mètres plus loin dans une maison moins rébarbative, moins propre et toute pleine d'éclats de voix, car le lieutenant et le sous-lieutenant parlaient comme on parle en plein air.

La petite salle à manger qui nous réunissait et où nous passions de longues heures les jours de mauvais temps, il me semble que je pourrais la peindre avec ses murs jaune canari, sa grande table carrée et, accrochée au mur, une gravure reproduisant *la Cène* de Léonard au-dessous de laquelle se lisaient ces mots : *Amen, amen dico vobis quia unus ex vobis traditurus est me.* Phrase terrible que j'ai lue et relue cent fois peut-être.

L'après-midi, quand j'étais seul avec l'aspirant dans la salle à manger, j'ouvrais Crampon à plat sur la table et je lisais les prophètes et l'Evangile. C'était une façon de dire : « Laissez-moi, de grâce, à mes aspirations sublimes et comprenez que je ne suis pas comme vous. » Mais aussi, que pouvais-je faire d'autre, puisque je ne voulais que lire la Bible et que ma chambre n'était pas chauffée ? J'excellais cependant à provoquer des questions discrètes auxquelles je répondais d'une façon encore plus discrète et avec un mystérieux sourire, tant cet âge est co-

médien, et dix jours ne s'étaient pas écoulés
qu'on sut que je voulais me faire moine.
Comme je devenais intéressant, du coup ! Je
me fabriquai une cellule invisible et por-
tative d'un modèle commode et qui me permettait d'offrir à ces hommes en uniforme le
spectacle d'une belle âme en route vers le
paradis. Peut-être suis-je un peu sévère,
mais comme on dit, il y avait de ça. Certes,
je croyais de tout mon cœur, mais les œuvres,
monsieur l'aspirant, la piété, le chapelet, la
messe surtout ? Rien de tout cela ou, s'il y
eut quelque chose, j'en ai complètement
perdu le souvenir. Je me trouvais pourtant
dans un pays catholique. Est-ce que l'idée
d'aller à l'église ne me venait pas à l'esprit ?
Apparemment non. Je lisais la Bible et je
disais mes prières. A cela se bornait ma religion.

Je me demande ce qu'en pensaient mes
compagnons ? Si j'avais eu plus de finesse,
j'aurais compris que malgré le silence respectueux qu'ils gardaient à l'égard de ces
choses, ils devaient me croire bien léger,
comme j'en eus la preuve un peu plus tard,
car si, au début, ils surveillaient leurs propos à cause de ce qu'ils avaient appris sur
moi, peu à peu ils se relâchèrent et se mirent
à parler avec la brutalité voulue par l'uniforme. Seul, l'aspirant blond gardait de la
mesure et me jetant un coup d'œil comme
pour s'excuser, risquait un sourire complice.

Quant à moi, je ne disais rien, je n'avais rien
entendu, je fermais à clef la porte de ma cellule invisible, j'étais admirable, je planais.

Je planais, mais je n'allais pas à la messe.
Pourquoi ? Je voudrais le savoir. Il y avait
peut-être une raison. J'aimais la messe et
j'aimais l'église. Alors ? Pas de prêtres dans
le pays ? C'était possible. Mais je me souviens qu'un jour l'aspirant et moi rendîmes
visite à notre aumônier (il devait pourtant
dire la messe...) et j'ai encore dans la mémoire le respect et la courtoisie charmante
avec laquelle mon compagnon lui parla. Par
la suite, je devais revoir ce prêtre à plusieurs
reprises, sur la route. C'était un petit homme
humble et un peu timide qui semblait
prendre plaisir à s'entretenir avec moi. Avec
une modestie voyante, j'étalais mon petit
savoir biblique. Sans doute passai-je aux
confidences, mais là je ne suis plus sûr de
ce que je dis, car il me semble au contraire
que, pour une raison qui m'échappe, ce que
je donnais à entendre à mes compagnons
en uniforme, je le cachais à ce prêtre. Et
pourquoi ? Un jour il m'offrit un bonbon
empoisonné sous la forme d'un compliment
que je retins alors que j'ai oublié tout le
reste de ce qu'il me dit : « Vous êtes certainement l'homme le plus intéressant que j'aie
rencontré ici. » « Oh, monsieur l'Aumônier ! »
Baissons la tête un peu et rougissons si possible, mais que disiez-vous donc, monsieur

l'Aumônier ? Que j'étais le plus intéressant ?... Ne pourriez-vous développer cette
idée ? Non ? Vous vous taisez ? Vous n'avez
plus rien à dire. C'est dommage. Mais peut-
être avez-vous vu quelque chose que je ne
vois pas moi-même : sous l'idiotie particulière à mes dix-huit ans, la pitié sans limites
de Dieu.

★

Pour l'aspirant, je demeurais quelqu'un
d'indéchiffrable et cela même semblait provoquer un désir dont je ne me doutais pas.
J'étais même si loin de m'en douter que je
voyais en lui quelqu'un de virginal, d'intact.
Peut-être l'était-il d'une certaine façon. Qu'il
fût vierge comme moi, je ne le crois pas,
mais l'âme demeurait transparente. Elle
n'avait pas été travaillée par le vice. A cause
de cela, je m'imaginais le jeune aspirant
comme un chevalier en armure, tout brave
et tout brillant, avec un regard d'azur sous
la visière d'argent. Son uniforme bleu horizon était à mes yeux sa couleur, celle qui
l'exprimait le mieux. C'était en tout cas ainsi
que je le voulais. A force de le voir, je finissais par l'admirer. Je savais que la croix de

guerre sur sa poitrine n'était pas facile à
gagner. Pour toutes sortes de raisons
confuses, j'allais vers lui, quelquefois, avec
un élan qu'il brisait net de son œil bleu.
Si j'étais mystérieux dans ma simplicité, car
un garçon vierge est presque incompréhensible dans ses réactions, il l'était encore plus
que moi, mais je m'amusais un peu distraite-
ment à l'observer. Je l'aimais bien sans qu'il
m'intéressât beaucoup. Il pouvait garder ses
secrets. Ce qu'il voulait de moi, je renonçais
à le savoir. A sa froideur, j'opposais une
bonne humeur perpétuelle qui l'agaçait un
peu. Je le taquinais, je l'irritais par mes mo-
queries à mesure que nous nous connaissions
mieux; il ne répondait alors que par un
regard de fureur qui l'embellissait, mais qui
n'arrivait pas à mettre entre nous la distance
qu'il eût souhaitée, car je me jugeais au
moins son égal, je lui riais au nez.

Si j'avais été plus intelligent et plus
humain, je l'aurais compris et aimé, mais
j'étais troublé par ce que disaient de lui le
lieutenant et le sous-lieutenant. Ceux-là parlaient ouvertement et quelquefois devant lui
de ces désirs qui, je l'apprenais avec étonnement, le ravageaient. Il lui fallait des filles
et pour des raisons que j'ignore il n'en trouvait pas dans le pays. « Impur, me disais-je,
il est impur. Comment peut-il, étant aussi
bleu ? »

Je crois que la réserve du garçon à mon

égard venait de ce qu'il souffrait. Il riait
et parlait peu. Mon hostilité aux choses
de la chair l'exaspérait sans doute. Un jour
que nous nous promenions tous les quatre
dans le pays, le lieutenant désigna une charmante petite maison un peu isolée et déclara : « Voilà la maison qu'il faudrait à
l'aspirant X. Il y passerait le jour et la nuit
pendant un mois avec une jolie blonde allemande. » « Pourquoi blonde ? » demanda
l'intéressé avec un sourire mélancolique. Il
y eut des plaisanteries que j'écoutai en silence. Je ne pus m'empêcher de trouver
que ce rêve avait quelque chose de séduisant,
mais un instant plus tard, je n'y songeais
plus.

Une autre fois, il fut décidé que nous irions
tous à Neunkirchen pour voir les hauts fourneaux. Je n'avais aucune envie de voir les
hauts fourneaux, mais je dis oui, parce que je
disais presque toujours oui quand je pensais
que cela pouvait faire plaisir. Nous prîmes
donc le chemin de fer et nous voilà tous les
quatre dans un petit compartiment, seuls,
plaisantant et riant encore plus qu'à l'ordinaire. Pourquoi toute cette gaieté ? me demandai-je vaguement. J'étais heureux cependant. Cela ressemblait à une sorte de fête. Le
soleil brillait sur les prairies que nous aper-
cevions et que je trouvais jolies. « N'est-ce
pas qu'elles sont jolies ? » dit alors un des
officiers avec une amabilité qui m'enchanta,

mais qui me parut légèrement insolite. On
me parlait un peu comme à un enfant. Et
tout à coup, il se produisit la chose qui me
parut inexplicable, car en effet, je n'étais
guère qu'un enfant malgré mon âge. L'aspirant se leva d'un coup et au milieu des rires
me fit part de l'opinion qu'il se formait de
ma personne. C'était une phrase courte et
brutale, une vraie phrase de soldat qui me
jeta dans une sorte de stupéfaction. Je lui dis
en riant de se taire. Les officiers riaient de
plus en plus fort, trop fort, me semblait-il, et
j'eus une fois de plus le sentiment que quelque chose m'échappait, que pour des raisons
incompréhensibles, on n'était pas content de
moi.

Comment ce garçon si hautain avait-il pu
prononcer une phrase de ce genre ? Sans
doute, me dis-je, il plaisantait, il voulait me
scandaliser, faire le soldat devant les officiers. Le lendemain, il fut avec moi d'une
politesse un peu étudiée. Je sentis vivement
qu'il ne m'aimait pas ce jour-là et qu'il
m'eût insulté avec plaisir.

★

J'ai oublié de dire qu'au cours d'une promenade j'avais lié connaissance avec une

jeune institutrice de la région, mais je
ne sais plus comment cela se fit. Peut-
être lui avais-je demandé mon chemin. De
tous les habitants de Niederlinxweiler, elle
était la seule qui consentît à me dire plus
de dix mots. Pour tous les autres, j'étais une
sorte de fantôme qu'on ne voyait même pas,
mais Mademoiselle Frida se montra plus
aimable et me demanda de venir prendre le
café chez elle, dans la maison de son père.
Ce dernier ne parut jamais dans le petit salon encombré de gros fauteuils et de plantes
vertes, mais autant que je puisse m'en rendre
compte, j'étais le bienvenu, parce que j'étais
gai et certainement sans façons. Mademoiselle Frida, rose et ronde, me préparait elle-
même du café et des gaufres. Nous parlions
de Gœthe et de Schiller. Je préférais Gœthe
parce que dans sa jeunesse il était beau, mais
ce point de vue paraissait frivole à Mademoiselle Frida et elle préférait Schiller, à
cause de sa fougue. Nos petits entretiens
avaient lieu vers quatre heures, quand la
demoiselle revenait de ses classes. Souvent
elle me disait, les yeux brillants : « Aujour-
d'hui j'ai battu ! » (*Heute hab ich geschlagt* !)
« Vraiment ? » « Oui. » Et elle agitait la main
en riant. Il était visible, même pour un garçon
aussi peu informé que moi, qu'elle prenait
un plaisir sensible à corriger la jeunesse. Je
riais et elle riait. Parfois, elle descendait à la
cave et remontait avec une petite chèvre

qu'elle caressait, Ziegelchen. Je posais la bouche sur le front de Ziegelchen, puis Mademoiselle Frida la faisait disparaître. Un jour, mon
camarade aspirant qui aspirait à toutes sortes
de choses, me demanda de le mener chez Mademoiselle Frida. Avec plaisir ! Nous arrivâmes, je le présentai, mais il y eut un moment de gêne, car une amie de Mademoiselle
Frida se trouvait là aussi, une dame assez
forte, frisant la cinquantaine. Elle nous regarda sévèrement, puis se levant nous tendit
une main raide en disant : « Si vous étiez
Anglais, je ne vous serrerais pas la main,
mais à des Français, oui, malgré tout. » Parurent du café et des gaufres (je ne pus
m'empêcher de rire à part moi en songeant
à mon grand-père anglais) et la dame se
pencha vers Mademoiselle Martha en murmurant : « Ils sont beaux tous les deux, mais
ils manquent un peu de caractère. » A je ne
sais plus quel propos, elle offrit de nous dire
la bonne aventure. Nous lui tendîmes nos
paumes ouvertes et la chevalière de mon
compagnon eut sur elle un effet immédiat.
Un titre ! Un blason ! Elle lut d'abord les
lignes dans les mains du Herr Graf et lui
prédit un avenir admirable. Herr Graf pos-
sédait des qualités remarquables. Elle les
énuméra. Je considérai avec étonnement
cette femme qui s'aplatissait d'une manière
aussi éhontée devant un garçon de trente
ans plus jeune qu'elle. Elle lui fit un beau

sourire, puis jeta un regard distrait sur mes
mains, n'y vit rien de très étonnant, palpa
du bout des doigts la chair au-dessous de
mon pouce et fit simplement : « Mmm ! »
Après quoi, elle se leva et prit congé.

Nous rentrâmes, mon compagnon et moi,
et je suppose qu'il était déçu, car il ne me
proposa jamais plus de retourner chez Mademoiselle Frida. Je ne sais à quelle houri il
s'attendait. En tout cas, je retournai chez elle
le lendemain et lui demandai pourquoi son
amie avait fait « Mmm » en me touchant la
main à l'endroit le plus charnu. « Oh, dit-
elle, cela ne s'explique pas. C'est l'élan vers
la vie. » « L'élan vers la vie ? Alors pourquoi a-t-elle fait Mmm ? » « Mais je ne peux
pas vous dire ! » s'écria-t-elle en riant. J'in-
sistai. Elle secouait la tête. « Est-ce inconvenant ? » demandai-je lourdement. Elle rit
encore et je pensai : « Sûrement elle veut
dire que j'ai été impur. Cela doit se voir. »

En fait, je ne l'avais pas été depuis longtemps, mais j'avais cette idée que les impu-
retés passées s'étaient inscrites à jamais sur
mon visage, car il me semblait voir une
ombre au coin de mes yeux et cette ombre
me souciait au-delà de ce qu'on pourrait
croire. Fräulein Frida riait de mon impatience et soignait ses gaufres.

★

Je ne sais ce que l'aspirant pensait de ces
visites. Il devait savoir qu'elles étaient fort
innocentes, mais il me surveillait pour
d'autres raisons et me dit un jour : « Vous
savez, il ne faudrait pas trop manger, parce
que vous allez engraisser et ce serait dommage. » Ces mots prononcés d'une voix douce
me parurent étranges. Qu'est-ce que cela pouvait lui faire que j'engraisse ? Tout chez lui
me semblait bizarre, ses rages froides comme
ses accès de bonne humeur et cette tendresse
subite qui adoucissait quelquefois son regard sévère et attentif. Un jour que nous
nous promenions à cheval sur la route, il
ralentit le pas et vint près de moi. « Pourquoi êtes-vous si fier ? » me demanda-t-il.
« Je ne le suis pas plus que vous. » Il frappa
sa jambe de sa badine et s'écria : « Oh, plus
tard, vous serez insupportable ! » Je lui demandai pourquoi, mais il se contenta de
dire : « Vos discours ! »

Aujourd'hui je m'interroge sur ces discours que je lui faisais. Sans aucun doute,
je parlais beaucoup, mais de quoi ? Ce ne
pouvait être que de religion et mon camarade ne pouvait le souffrir. Je m'étonne qu'il

ne m'ait pas battu, car à ma piété un peu délirante se mêlait un naïf orgueil. Il se tenait très droit sur son cheval, la taille cambrée, et me considérait avec une sorte de désespoir. Dans ces moments-là, il me paraissait très beau, mais, me demandai-je, qu'est-ce qu'il a donc ?

Je ne sais comment il se fit qu'un jour nous nous trouvâmes ensemble dans un couvent tenu par des religieuses en noir. Que faisions-nous là ? Je me souviens seulement que montant un escalier qui brillait de propreté et sentait la cire, nous atteignîmes un palier et que là, au-dessus d'une porte, nous lûmes ces mots écrits en grosses lettres gothiques :

EIN TAG IN DEINEN VORHÖFEN IST BESSER DENN SONST TAUSEND !

Je saisis mon compagnon par le bras et m'écriai à mi-voix : « Vous comprenez ? Un jour dans la maison du Seigneur vaut mieux que mille ailleurs ! Oh, c'est vrai, c'est vrai ! » Il me sourit alors avec la douceur qu'aurait pu avoir un ange.

Nous devions nous entendre assez bien, car il me semble que nous ne nous quittions guère. L'occasion se présenta un jour d'aller à Sank-Wendel pour y entendre de la musique dans un petit théâtre. On nous mit au premier rang, à quelques mètres de la scène que cachait un rideau de toile écrue. Je

n'avais jamais encore entendu de musique
ailleurs que chez nous et je me sentais si
heureux de me trouver là qu'il m'était difficile de rester tranquille. J'aurais voulu ser-
rer la main de mon compagnon, mais je
n'osais. Le rideau ne se levait pas... Tout
à coup, dans un profond silence, monta le
chœur des pèlerins de *Tannhäuser*. Je ne le
connaissais pas, n'ayant jamais entendu une
seule note de Wagner, et il me sembla que
le monde changeait tout à coup. Pas d'orchestre. Il n'y avait que ces voix, mais si
nombreuses et si pures que je demeurai
saisi d'admiration. Lentement le rideau s'ouvrit par le milieu et nous vîmes sur la scène
une trentaine de garçons entre douze et dix-
huit ans qui chantaient avec une gravité
extraordinaire. Je ne sais ce que nous entendîmes par la suite, mais je me souviens que
sur la route, je secouai mon camarade parce
qu'il n'admirait pas assez. « Pas mal !
m'écriai-je. Que vous faut-il donc ? »

Il y avait des moments où je lisais dans
ses yeux la tentation violente de me provoquer, parce que je ne le respectais pas et que
j'ignorais les fameuses distances, et le prétexte qu'il recherchait s'offrit au bout de quelques semaines.

★

Un jour, je dis à mon ordonnance de me seller mon cheval. Je voulais, en effet, rendre visite à Fräulein Frida, mais grande fut ma surprise quand, au lieu de voir paraître le cheval que je montais d'habitude, je vis une bête immense, à l'œil fou, aux sabots inquiets. On m'expliqua que le lieutenant avait pris mon cheval et qu'il n'y avait plus que celui-ci de disponible. J'aurais dû me douter qu'on voulait ou me jouer un tour ou me mettre à l'épreuve. Quoi qu'il en soit, j'étais à peine en selle que nous partîmes comme une flèche. En vain je sciais la bouche de mon cheval avec le mors, il allongeait la tête et galopait de plus belle. Ventre à terre, il traversa le village étonné et en quelques secondes, me sembla-t-il, dévora l'espace qui nous séparait de Niederlinxweiler. La surprise m'empêcha d'avoir peur tout de suite et je me laissai aller en arrière sur cette bête, mais mon inquiétude se changea en épouvante quand nous nous engageâmes sur la route qui traversait les faubourgs de Niederlinxweiler, car je savais qu'au bout de cette route commençait une longue rue en pente si inclinée qu'elle paraissait presque verticale, et que faire ? Or, il arriva qu'ayant franchi au triple galop

les faubourgs de la ville, ce cheval qui, selon
moi, venait droit de l'enfer, s'arrêta net
quand il se vit devant ce qui lui apparut
sans doute comme un gouffre. Je ne saurai
jamais ce qui se passa dans sa tête, mais le
fait est que se détournant de la rue, il re-
monta en trottinant les faubourgs qui, grâce
au ciel, étaient à peu près vides. A ce moment j'aperçus Jarras, mon ordonnance, à
qui je criai de prendre mon cheval et de le
ramener à Oberlinxweiler.

J'étais à quelques mètres de la maison de
Fräulein Frida qui m'attendait pour le café.
« Je vous ai vu passer ! s'écria-t-elle, les
joues roses. C'était splendide ! Vous alliez
comme le vent. » « Mais j'allais bien malgré
moi comme le vent, Fräulein ! » « Oh, juste-
tement. *Ich liebe Gefahr !* » (j'aime le danger).
Elle paraissait toute hors d'elle-même de plaisir et je ne sais plus ce que nous nous dîmes
ensuite, mais je me souviens qu'en posant
devant moi la tasse de café, elle me confia
qu'aujourd'hui encore, comme à l'ordinaire,
elle avait battu.

★

Lorsque je rentrai ce soir-là, à pied, je
reçus de l'aspirant un accueil des plus réser-

vés. Pour la première fois, je me sentais pe-
naud devant lui. « Il pense, me dis-je, que
tu as eu peur. » « Il pense, reprit une voix
intérieure, il pense, non sans raison, que tu
as eu peur. » Personne ne fit allusion à ma
honteuse équipée.

Je voudrais pouvoir dire que je souffris
beaucoup de cette humiliation, mais non. Le
monde tournait autour de moi comme un
rêve. De ce rêve, on ne s'éveillait qu'à la
mort. Je verrais alors que j'étais sauvé
comme ma mère me l'avait dit. En attendant, il était inutile de se soucier de ce que
pouvaient faire et penser des ombres. On
croira peut-être que ce raisonnement me rendait la paix. Non. Il y avait en moi un fond
de violence qui dévastait tout. Si les ombres
venaient à moi et me provoquaient, je m'efforçais de les dissiper. Sans doute y a-t-il
là une contradiction. J'étais à moi seul une
masse de contradictions.

Le lendemain, je fis une promenade à
cheval avec l'aspirant, mais je montais mon
cheval et non cette bête sellée et bridée par
Satan, en sorte qu'il ne se passa rien de remarquable et je ne me souviens plus du tout
de quoi nous parlâmes. Cependant, revenus
dans la salle à manger, sans même ôter nos
bottes et nos éperons, nous échangeâmes des
paroles de plus en plus sèches. Je ne sais plus
qui commença, mais je me souviens que mon
camarade me parut plus beau qu'à l'ordi-

naire, car il était de ces garçons dont la
beauté ne se découvre que peu à peu. Quoi
qu'il en soit, il me fit l'effet d'une magnifique
journée d'hiver, lumineuse et glaciale. Il me
reprocha d'une voix coupante de n'avoir pas,
la veille, ramené mon cheval à Oberlinxweiler au lieu de le confier à mon ordonnance, ce en quoi il avait raison, et il m'ac-
cusa ensuite de manquer de fermeté.

A ces mots, mon cœur se mit à battre d'une
joie épouvantable, car je compris que le moment était venu que j'attendais depuis des
semaines. Nous étions debout tous les deux
et séparés par la table. D'une voix qui tremblait un peu, je dis à l'aspirant qu'il repren-
drait ce qu'il venait de dire ou qu'il roule-
rait sur le plancher. Sans bouger, et avec un
calme que j'admirai, il me répondit doucement qu'il ne ferait ni l'un ni l'autre. Je fis
alors le tour de la table et le pris à bras le
corps.

Il y a une volupté dans la colère. Je me
sentis heureux d'un bonheur physique extraordinaire et j'eus l'impression que mes
forces étaient miraculeusement décuplées.
J'allais enfin pouvoir étouffer mon adver-
saire comme un ours qui broie un homme
entre ses pattes. La surprise fit ouvrir la
bouche au jeune homme et il lui fallut
quelques secondes pour se ressaisir. Son
corps d'acier se tournait et se retournait
contre le mien et il chercha à me frapper

au visage, mais je n'eus aucune peine à lui
emprisonner les deux bras, et je sentis avec
ivresse que je faisais de lui ce que je voulais. Lentement je le poussai en arrière et
perdant l'équilibre nous tombâmes l'un et
l'autre, lui sur le dos, en sorte que si sa
chute fut un peu rude, elle amortit beaucoup
la mienne, car je me trouvai étendu sur lui
de tout mon long. Je sentis alors qu'il s'aban-
donnait tout à coup, soit qu'il fût moins
vigoureux que je ne l'avais cru, soit que le
désir de lutter lui fît subitement défaut. Me
redressant aussitôt, je m'assis sur son ventre
et serrai son corps entre mes cuisses de
toutes mes forces; mes mains tenaient ses
bras dans un étau, bien inutilement du reste.
Nous soufflâmes un peu, puis je lui dis en
éclatant de rire : « Et maintenant, qui
manque de fermeté ? Qui touche le plancher
des épaules ? »

La fureur assombrit ses yeux. Je laissai
passer une minute pour savourer ma joie.
Je le secouai avec violence, mais sans colère
— la colère s'était évaporée — et je lui dis
que s'il ne voulait pas rouler sur le plancher, il ne fallait pas non plus me pousser
à bout. J'étais loin de me douter que, des
dizaines d'années plus tard, *Sud* et *Moïra*
devaient sortir en partie de ce moment singulier. Si vif était le plaisir que j'eusse voulu
le prolonger sans fin. « Dites quelque
chose ! » m'écriai-je en riant.

Je vis dans ses yeux qu'il cherchait quelque chose à dire et sa bouche enfin proféra une phrase si haineuse que je ne puis me résoudre à la transcrire, car elle était indigne d'un homme, surtout d'un homme tel que lui. A quoi servait-il de se battre ? J'avais eu ce que je voulais. Je me relevai aussitôt, et recommandai à mon camarade de s'épousseter, Jarras pouvant entrer d'un moment à l'autre, et ce qui se passa ensuite, je l'ai oublié, sinon qu'à partir de ce jour, l'aspirant me parla d'une façon toute différente. Ce qu'il y avait de meilleur en lui reprit le dessus. Sans être jamais affable, il me souriait plus qu'autrefois et les distances s'évanouirent. Le premier moment de colère passé, il était sans rancune. Pas de petitesse dans ce cœur mystérieux qui ne se livrait pas. Aujourd'hui que je pense à lui, je suis tout prêt à reconnaître que de bien des façons il valait mieux que moi et le fait est que pendant ces dernières semaines que je passai en Allemagne, je me sentis proche de lui et recherchai sa compagnie plus encore qu'il ne recherchait la mienne.

Peu de temps après, le lieutenant nous

annonça l'arrivée du capitaine de notre unité.
C'était, m'avait-on dit, un personnage redoutable dont l'absence était un bienfait pour
tous. Il revenait d'une longue permission et
un jour, en effet, je vis paraître un petit
homme rond au teint jaune, à la voix aigre
et mécontente. Un coup d'œil me suffit pour
comprendre qu'il serait sage de faire une
demande de démobilisation. Cependant, l'officier en question ne fit guère attention à
moi et je vis aussitôt que je ne l'intéressais
en aucune manière. A vrai dire, il n'avait de
regards que pour l'autre aspirant, mais ces
regards avaient quelque chose d'impitoyable
et me plongèrent dans le plus grand étonnement. Je passais sans cesse à côté de petits
drames dont le sens m'échappait.

Ce soir-là, après dîner, le capitaine se
carra sur sa chaise, et nous faisant à tous
un sourire de bête carnassière annonça qu'il
allait demander à l'aspirant de lui montrer
ses comptes. C'était, en effet, mon camarade
qui s'occupait des menus et veillait à la
dépense. Le capitaine fixant sur lui ses petits
yeux cruels, déclara de sa voix nasillarde :
« Il est si beau qu'on hésite à l'attraper. »
Se levant ensuite, il fit signe à l'aspirant de
le suivre, et tous deux disparurent.

Du temps s'écoula. Le lieutenant et le sous-
lieutenant parlaient entre eux à mi-voix et
semblaient fortement déprimés. Quant à moi,
je gardais le silence, feuilletant un de mes

livres. Au bout d'un grand quart d'heure, l'aspirant revint seul, les yeux brillants de larmes. Aucune question ne fut posée, mais je compris qu'on souhaitait me voir partir et je pris aussitôt congé.

Derrière tout cela, que de choses on me cachait ! Ces choses, je ne désirais pas les connaître, mais chaque fois que je voyais le capitaine, j'étais soulevé d'indignation et sans doute le devinait-il. Il m'apparaissait comme une sorte de pacha dont mon camarade était le souffre-douleur de prédilection. Jamais peut-être un homme ne m'a-t-il été aussi subitement antipathique. La pensée qu'il faisait pleurer l'aspirant m'était insupportable. A bien y réfléchir, ce dernier avait la fierté un peu arrogante des garçons qui se sentent fragiles et vulnérables. Cela, je ne l'avais pas compris, mais que pouvais-je comprendre dans la solitude que je m'étais faite ?

★

Je fis ma demande de démobilisation pour la fin du mois de mars, puisque j'avais promis à mon père de rester trois mois. Or, le printemps de cette année-là s'annonçait as-

sez doux et dans la Sarre la terre commençait
à verdoyer. Les buissons se couvraient de
petites feuilles et les prairies se faisaient plus
épaisses. J'étais sensible à la caresse de l'air
et à certaines heures une joie indescriptible
se glissait en moi. De nouveau, j'avais envie
de me rouler dans l'herbe en riant, comme
autrefois. Il me semblait que mon cœur éclatait d'amour, et qui aimer ? Dieu ? Sans aucun doute, mais j'aurais aussi voulu dire à
un être humain ce qu'on dit quand on est
amoureux, mais à qui ? Il n'y avait personne.

Un jour, le capitaine me donna l'ordre de
faire seller mon cheval parce qu'il voulait
m'emmener en promenade avec lui. Nous
partîmes. Le cheval que je montais était
celui qui m'était réservé d'ordinaire et je
n'avais aucune surprise à redouter, car lui
et moi étions amis. A grands coups de cravache, le capitaine lança dans les bois sa
monture sur laquelle, je le reconnais, il se
tenait à merveille, et tout en galopant, il
chantait du nez aussi fort que cela lui était
possible. A fond de train, je suivis ce gros
petit homme suffisant qui me criait de temps
à autre : « Vous êtes là, l'aspirant ? » « Je ne
vous quitte pas ! » répondais-je. « Je ne vous
quitte pas, *mon capitaine*, n'est-ce pas ? »
faisait la voix nasillarde. « Certainement, mon
capitaine », disais-je alors, le cœur plein de
colère. Et j'essayais de le dépasser, mais il
me faisait signe de rester en arrière.

De cette galopade folle, j'ai conservé le souvenir d'une volupté étrange, car je suffoquais si peu que ce fût et mon cœur battait à se rompre, mais il se mêlait à tout cela une sorte d'assouvissement que je n'aurais pu décrire, un violent bien-être.

Je ne sais quelle idée le capitaine avait dans l'esprit en me faisant galoper dans les bois. Avait-il eu vent de ma mésaventure sur l'étalon d'enfer ? C'est possible. Je crois qu'il ne m'aimait pas et qu'il flairait en moi une innocence qu'il jugeait indigne et ridicule. Quoi qu'il en soit, je flairais en lui, moi, une gloutonnerie charnelle que je jugeais avec une égale sévérité. Nous étions faits pour ne pas nous entendre. Je fus heureux pourtant de lui avoir montré que je savais me tenir en selle. Ce fut notre seule promenade.

★

De nouveau il y a un vide et je me vois tout à coup dans la chambre que l'aspirant occupait à l'autre bout du village, non dans la solitude comme moi, mais entouré de nombreux voisins. La pièce est grande, bien chauffée et me paraît agréable avec ses gros meubles paysans et sur les murs des images

pieuses naïvement coloriées. Une vaste armoire, un lit au fond d'une alcôve et à
gauche une porte entrouverte par laquelle
j'aperçois une jeune femme qui passe en
s'essuyant les yeux. Cette porte se referme
et, près de moi, le lieutenant et le sous-lieutenant parlent à mi-voix à mon camarade
qui incline tristement la tête. De toute évidence, quelque chose ne va pas, mais je me
tiens à l'écart et garde le silence. Quelle
heure peut-il être ? Le soleil brille à mes
pieds sur le plancher gris. Un murmure de
voix, puis je saisis ces mots prononcés par
le jeune homme : « Elle dit que ça l'ennuie
à cause de son mari. » De nouveau, un bour-
donnement de conseils et de questions, puis
la voix un peu mélancolique de l'aspirant :
« Hier soir, elle m'a permis de lui défaire
les cheveux. Ils sont très épais, très
lourds... » « Adultère », me dis-je alors. L'aspirant est à moitié assis sur une table et
baisse de plus en plus la tête. Je vois bien
que sa rage amoureuse le fait souffrir...

J'allais rarement dans cette chambre, mais
en la voyant si gaie et si charmante, je ne
pouvais m'empêcher de me dire : « Quand
il regarde autour de lui, peut-être déteste-t-il
ces murs et ces meubles, puisque c'est ici
qu'il est si malheureux. » Je comprenais
peu à peu que l'aspirant était malade de
désir. De là certaines bizarreries dans son
comportement. Je soupçonnais qu'il s'était

laissé jeter sur le plancher par désespoir, quand nous nous étions battus dans la salle à manger. Il était sûrement aussi fort que moi, mais il était en acier et l'acier se brise.

Une nuit de clair de lune, nous nous retrouvâmes lui et moi dans cette même chambre et deux jeunes femmes étaient assises près de nous. Qui étaient ces femmes et surtout que faisais-je là ? A ces questions je ne puis répondre, mais le fait est que dans cette pièce éclairée seulement par la lune, je parlais avec une des femmes pendant que mon camarade embrassait l'autre. Voilà une scène bien étrange. Une phrase que m'avait dite Fräulein Frida me revenait sans cesse à l'esprit : « *Wir sind nicht die echte Deutschen. Die echte Deutschen sind in Berlin.* (Nous ne sommes pas les vrais Allemands. Les vrais Allemands sont à Berlin.) » La femme à qui j'avais affaire me parlait de mes yeux (cela, comment l'oublier, n'est-ce pas ? C'était un compliment et je n'oubliais jamais un compliment) « Tout à l'heure, vous regardiez vers la fenêtre et j'ai vu vos yeux. *Es war ein Licht darin.* (Il y avait là-dedans une lumière.) » Bien aimable, vraiment, mais la demoiselle me paraissait sans attraits. Mon camarade avait choisi la plus jolie. Je ne sais comment je pris congé, mais je suis bien certain que cela ne traîna guère. Me frappa surtout le fait que ces deux personnes étaient sanglées dans leurs corsages comme dans des cuirasses. Avec Lola, c'était plus facile.

« Il a voulu me débaucher, pensai-je quand je fus seul. Ne craint-il pas les maladies ? » Le souvenir de mon oncle Willie me revenait de temps à autre, en effet. Il était évident, toutefois, que je changeais. Le printemps agissait sur moi de la façon la plus classique. J'en éprouvai une énorme surprise. Depuis longtemps, je ne pensais plus à ces désirs qui ne cadraient plus avec l'idée extraordinaire que je me formais de moi-même.

Enfin la demande de démobilisation que j'avais faite reçut sa réponse et le matin de l'Annonciation, je pris le chemin de fer à la gare de Neunkirchen. De mes adieux, s'il y en eut, je n'ai pas gardé le plus vague souvenir.

★

Le 26 mars 1919, j'étais donc de retour à Paris, mais je n'y trouvai pas mon père qui était parti pour Copenhague où il devait régler quelques affaires. C'est grâce aux lettres qu'il m'écrivit de là-bas que je puis dater certains petits événements. Ma sœur Anne

que je revis avec joie me donna cinquante
francs d'argent de poche de la part de mon
père en me rappelant que cette somme devait
me suffire pour toutes mes dépenses pendant
un mois.

J'étais fou de bonheur. L'air était d'une
douceur exceptionnelle et les marronniers
de l'avenue Henri-Martin se couvraient de petites feuilles. Sans raison précise, je me mettais tout à coup à courir dans les rues. On
ne me battait pas à la course, mais qui aurais-je défié ? Tous mes anciens camarades
travaillaient aux heures où je faisais mes
immenses promenades. Une de mes premières
visites fut pour les sœurs, nos voisines.
J'allai voir les Mères dans leurs sombres
parloirs où elles riaient et s'amusaient de
tout avec moi, quitte à glisser tout à coup une
phrase sérieuse sur le fameux poison du
monde et le jugement qui nous attend tous. Je
devenais alors encore plus sérieux qu'elles et
leur jetais un regard fanatique à travers ces
grosses grilles de bois qui ne permettaient
de voir qu'un petit losange de visage à la
fois. Mère Marie Adolphine, la supérieure,
et Mère Marie Joachim, la maîtresse des no-
vices, me rappelaient en baissant la voix
l'honneur que me faisait Dieu en me donnant une vocation. Je les quittais pour entendre le salut à la chapelle et de nouveau
je me roulais dans cette musique qui me
parlait de la vraie patrie, au-delà des mondes

visibles. Ce qui me ravissait était que rien
ne changeât dans cette chapelle. Que je fusse
là ou non, qu'il y eût la guerre ou la paix,
on trouvait toujours des religieuses à genoux
devant le Saint-Sacrement. Ainsi tout était
en ordre. J'étais sauvé. Tout le monde était
sauvé. Jamais peut-être je n'eus le cœur plus
léger que pendant cette dernière semaine
de mars 1919. La paix, la paix ! Le cauchemar était fini pour toujours. On pouvait rire. Il se préparait, nous disait-on, un
14 juillet à tout casser.

Je courais dans Paris avec une sorte
d'ivresse, car je sentais que c'était ma ville
et qu'elle était à moi, puisque j'y étais né.
Comme j'avais la rage d'apprendre, on me
voyait toujours avec un petit livre sous le
bras. Tantôt c'était un guide du vieux Paris
(*Ce qui reste du vieux Paris*) dans les marges
duquel je dessinais au crayon des détails
d'architecture. Toutes ces vieilles maisons
m'enthousiasmaient. Je poussais des portes
cochères pour voir des cours, je grimpais
des escaliers quand la concierge ne veillait
pas. Tantôt j'emportais un petit Virgile ou
un volume de Montaigne dans l'édition de
Costes. Un jour que je me trouvais dans le
tramway 19 et que j'étais absorbé dans ma
lecture, une jeune femme — nous étions
seuls — me regarda si attentivement que je
levai les yeux. Elle avait un beau visage
grave et pâle et, comme je lui souriais, elle

me demanda si je lisais l'Evangile. Cette
question singulière me donne à croire que
j'avais l'air bien sage. Je répondis que non,
que je lisais Montaigne, sur quoi elle me fit
un sourire et la conversation en resta là.

Sans doute avais-je l'air d'un jeune
homme tranquille, mais que de choses bouillonnaient en moi ! Je m'étais remis à me
regarder dans les glaces, car il y en avait
beaucoup à Paris. Que devenait la religion
dans tout cela ? Nous allons bien voir.

Les religieuses de la rue Cortambert
avaient beau me parler du poison du monde,
j'étais émerveillé par la beauté de ce lieu
de péril. Tout était splendide en ce mois
d'avril qui ouvrait toutes grandes les portes
d'une résurrection de l'humanité. C'était
ainsi que je voyais les choses. Ne lisant guère
les journaux, j'ignorais à peu près tout des
émeutes qui éclataient un peu partout. Je
me souviens que la nuit, avant de m'endor-
mir, je riais quelquefois sans cause, sinon
que j'étais en vie. Ce bonheur confus attei-
gnait souvent une intensité si forte qu'il ressemblait à de la souffrance. Je ne savais ce
que je voulais. Le jour, j'écrivais des poèmes
et des récits dont l'un au moins m'est resté
dans la mémoire. Je l'avais intitulé *Jean-
Sébastien;* ce double nom désignait deux
jeunes hommes qui partageaient la même
chambre et quand, pour une raison quelcon-
que, ne fût-ce que l'espace d'une heure, ils

étaient obligés de se séparer, l'inquiétude,
puis l'angoisse et enfin une sorte de panique
s'emparaient de l'un et de l'autre, et ils couraient dans les rues en proie à la terreur,
jusqu'à ce qu'ils se fussent rejoints. Les rues,
la frayeur circulant le long des trottoirs,
puis le cœur bondissant de joie, je décrivais
ces choses avec une passion que n'égalait
que mon innocence, car le sens de tout cela
m'était profondément caché.

Je faisais aussi de petits dessins qui repré-
sentaient des scènes de violence ou de peur.
Un homme assassiné devant un grand feu
de bûches. Un autre personnage descendant
un escalier en pas de vis et se retournant, une
bougie allumée au poing, parce qu'il craignait que quelqu'un ne le suivît. Ce dessin
s'intitulait *Followed* (suivi) et je ne le regardais pas sans malaise. Je ne dessinais rien
d'inconvenant. Il me semble que je n'aurais
pas pu.

Etait-ce alors que j'entendis pour la première fois la *Neuvième Symphonie* de Beethoven ? J'incline à le croire aujourd'hui,
bien que dans mes notes de 1939 j'aie situé

ce fait vers la fin de la guerre. A bien y réfléchir, ce ne pouvait être en 1918, parce que
j'étais en civil quand j'entendis au Trocadéro
le concert dont il s'agit. Or, j'avais quitté l'uniforme kaki à la fin de juin pour endosser
l'uniforme bleu horizon dans les premiers
jours de septembre de la même année, et il
est bien improbable qu'un concert ait été
donné en juillet ou en août. Sans doute le
début d'avril 1919 fournirait-il la date la plus
facile à admettre. L'erreur vient peut-être de
ce qu'en 1939, je revoyais par le souvenir,
dans l'immense salle du Trocadéro, un assez
grand nombre de soldats en uniforme, et
parmi eux des blessés en convalescence.

Quoi qu'il en soit, ce concert fit sur moi
une impression ineffaçable. Je savais à peine
ce que pouvait être la musique d'orchestre
lorsqu'elle retentit aux cîmes où l'a portée
Beethoven. Quand, dans un grand silence,
montèrent les prodigieux murmures qui an-
noncent l'allegro, je devins ausi attentif que
si mon sort eût été en jeu. Il me semblait voir
un aigle aux ailes puissantes qui brassait l'air
en tournoyant au-dessus d'un gouffre. Des
régions nouvelles s'ouvraient à mon imagination. Cette musique impérieuse m'emportait avec elle et me parlait un langage que
je ne connaissais pas. Religieuse, elle l'était,
me paraissait-il, mais non de la façon qui
m'était familière. Je me trouvais au centre
d'un orage, j'étais à la fois ravi et effrayé,

parce que tout changeait de mesure. Il y avait
dans le monde autre chose que la voix ras-
surante de l'Eglise, l'univers était plus grand
que je ne l'avais cru. Certes la foi n'était pas
en cause, mais ses limites reculaient jusqu'à
se perdre dans des espaces non prévus par le
catéchisme. Tout était plus vaste, plus ténébreux et plus attirant. Mieux informé de ma
religion, j'aurais compris que derrière un
mystère, il y en a toujours un autre, mais
dans le magique tumulte des sons, j'eus
le sentiment que se rompait en moi un
équilibre que j'avais cru établi pour toujours, et j'en reçus un choc dont je fus quelque temps à me remettre. Une exaltation
étrange se mêlait à mon inquiétude. Tout à
coup, j'étais loin du monde des religieuses en
serge blanche et des hymnes latines, et Dieu
était encore là, dans cette musique où l'on
croyait entendre la voix même de l'humanité,
Dieu était aussi dans la joie, puisque c'était
de joie qu'il s'agissait dans les chœurs un peu
frénétiques de la fin. Je quittai la salle bouleversé, un peu comme un prisonnier qui sor-
tirait de prison et qui ne saurait que faire
de sa liberté, parce qu'il en aurait peur.

Cette grande émotion devait laisser en moi
des traces plus profondes que je ne le savais.
Je me calmai cependant. La vie quotidienne
remettait peu à peu les choses en place avec
une douceur d'aïeule qui veille sur un enfant.
De temps en temps, le grand cri de « Joie ! »

éclatait de nouveau dans ma tête par un caprice de ma mémoire, mais entre les murs de la petite chambre un peu sombre où je passais ma vie, l'élan se brisait presque aussitôt.

★

Ted quelquefois venait nous voir et je me remettais à souffrir d'une manière qui m'était incompréhensible. Je brûlais. J'entends par là que sur tout le devant du corps, j'avais la sensation pénible d'une ardeur insupportable. Je riais et regardais le jeune marin au visage, évitant d'abaisser la vue. Le malaise que j'éprouvais était si aigu et finissait par devenir si torturant que je fuyais ce garçon qui, par une cruelle ironie des choses recherchait ma compagnie sous prétexte de discuter avec moi de problèmes philosophiques. Il insistait pour faire avec moi de grandes promenades et sa conversation me paraissait fort ennuyeuse, mais comment ne pas remarquer qu'il avait une peau d'ivoire et un cou rond comme une colonne ?

Je dois dire que lorsque je ne voyais pas Ted, je me sentais heureux et ne pensais plus à lui. Il se passait toutefois quelque chose

dans mon cœur, et qui pouvait me l'expliquer ? Je ne connaissais aucun prêtre à Paris.
Le Père X. n'était pas là. Il avait fait une
visite à mon père au début du mois de mars
et je suppose que c'était pour lui parler de
moi et de ma vocation. A présent il était loin
et du reste, qu'aurais-je pu lui dire ? Il eût
fallu un ange pour m'interroger. Je n'avais
conscience d'aucun péché, sauf une faute que
j'avais commise à Oberlinxweiler et celle-là,
je l'avais confessée, mais le monde me paraissait beaucoup trop beau. Il y avait beaucoup
trop de lumière, de liberté, de joie sur
la terre et dans mon âme. Je ne sais plus la
date de la fête de Pâques de cette année-là,
mais ce dut être au début d'avril, car pendant la Semaine Sainte, les offices se disaient
dans la crypte de la rue Cortambert et c'était
là que j'entendais la messe. Or le 9 avril,
remontant de cette crypte, je rentrai chez
nous pour écrire à mon père une lettre im-
portante.

Remontant de la sombre crypte... Mon
Dieu, que s'est-il passé ce jour-là dans mon
âme, alors que je gravissais les marches de
pierre et que je retrouvais la rue inondée
de soleil, le ciel d'un bleu triomphal ? Quelque chose en moi changea subitement. Je ne
pouvais plus accepter l'idée de me retran-
cher du monde et un poids énorme me glissa
des épaules : tout le poids de la croix. Ce
n'était pas une révolte, c'était une désertion,

et la croix devait revenir, beaucoup plus
tard et beaucoup plus lourde, puisqu'il faut
une croix...

Y eut-il au moins un débat ? Oui, certes.
Quand je montai les marches de cet escalier
de pierre, il me sembla que j'allais mourir,
si dur fut le déchirement. Renoncer au monde
me tuait, mais par monde j'entendais la
création, la liberté d'aller et venir sur la
terre, non le commerce périlleux des hommes,
non le péché, car le monde, c'était la sainte
lumière sur mon visage, dans les bois, dans
les rues, là où ma fantaisie me mènerait.
Renoncer à Dieu, il n'en était pas question,
mais je cherchais la voie moyenne, celle
qui n'est ni étroite, ni large, celle qui n'existe
pas, parce qu'elle n'est en réalité que la voie
large que le démon nous fait prendre pour
la voie étroite, une voie étroite *raisonnable*.
Oh, Dieu, de quelle joie terrible je fus envahi lorsque je retrouvai cette petite rue de
province qu'était la nôtre, avec ses maisons
tranquilles, ses petits jardins !

★

Il faut dire toute la vérité. J'eus l'incons-
cience d'écrire à mon père que j'avais changé

d'avis, que je ne voulais plus être religieux,
mais simplement prêtre. Simplement prêtre...
Mon excuse est que je ne savais ce que je
disais. J'écrivis également à notre amie la
religieuse américaine qui, sachant que nous
étions pauvres, avait offert de payer ma dot.
(Je ne sais si j'ai mentionné ce fait; la religieuse en question, Roselys, était maintenant
à Angers, dans un couvent, sous le nom
de Mère Saint-François-d'Assise). Enfin, non
sans d'infinies précautions, j'écrivis également au Père X. Puis j'attendis les réponses.
Celle de mon père est sous mes yeux. Il me
dit qu'il ne s'était jamais opposé à mes pro-
jets, bien qu'il eût eu le cœur meurtri quand
je lui annonçai que je voulais quitter le
monde, et que, en ce qui concernait la vocation sacerdotale, il était d'avis que j'atten-
disse encore un peu et me conseillait d'aller
passer d'abord quelques années dans une
université américaine. Je reparlerai de ce
projet. Ce que répondit Roselys, je l'ai oublié.
J'ai souvenir d'une lettre un peu mélancolique, mais sans reproches inutiles et certainement pleine de tact. Quant à la lettre du
Père, hélas je ne l'ai plus, mais j'en ai retenu
quelques mots que je crois avoir cités : « Mon
enfant, permettez-moi de vous appeler ainsi,
car autrement pourquoi vous écrirais-je ?...
Mystère de la liberté humaine... Comme ce
pauvre La Mennais (en deux mots)... » Je fus
atterré. Ces phrases presque indéchiffrables

me frappèrent d'horreur. Fût-ce à ce moment-
là ou plus tard, ou plus tôt qu'il me donna à
entendre qu'il n'était pas sûr de mon salut ?
Cette parole tomba en moi comme une pierre
dans un abîme. J'ai passé une partie de ma
vie à écarter de mon âme les pensées ef-
frayantes qui furent le résultat de cette
opinion. Loin de moi la tentation de juger
un homme qui m'était bien supérieur, mais
je crois que s'il avait voulu me diriger dans
les voies du désespoir, il ne s'y serait pas
pris d'une autre façon.

Je réagis cependant. Le goût de vivre était
si fort en moi qu'ayant touché terre je rebon-
dis presque aussitôt comme une balle. Le
monde était à moi. J'avais dix-huit ans et
quelques francs dans le fond de ma poche,
mais si je voulais aller à droite, j'allais à
droite, et si je voulais aller à gauche, j'allais
à gauche, et je me remis à chanter le long
des quais de la Seine dans le soleil d'avril.
Je n'irais pas à l'île de Wight. J'étais libre.
Qui peut dire ce qu'il y avait de bon et de
mauvais dans cette situation ? Après des années de réflexion, je ne suis pas encore par-
venu à le savoir. Certainement je ne faisais
pas le mal. Je me rendais tous les matins à
la messe de sept heures et communiais chaque
jour. Le reste du temps, j'écrivais ce que
j'appelais des histoires ou des poèmes, ou je
me promenais à pied dans Paris, ayant
depuis longtemps dépensé mes cinquante

francs. Et comment les avais-je dépensés ?
Sur les quais où j'achetai de vieux livres.
Quels livres ?

Ici, je me sens obligé de dire quelque chose
qui paraîtra étrange. M'attiraient surtout les
jolies reliures du xviie et du xviiie siècles, avec
leurs fleurons dorés et leurs gardes à mar-
brures bleu et rose pâle. Pour quelques sous,
on en obtenait alors un certain nombre et
je ne savais pas que je me constituais ainsi
une petite bibliothèque de livres aujourd'hui
fort rares, mais je n'achetais rien sans avoir
d'abord tourné quelques pages et mon choix
se fixait presque toujours sur des ouvrages
religieux (ceux dont personne ne voulait,
ceux qui encombraient les boîtes, ceux-là
même que l'abbé Bremond cherchait aussi
probablement à la même époque). Or, il y en
avait que j'écartais presque toujours parce
qu'une voix m'avertissait qu'ils étaient capa-
bles de me faire revenir sur ma décision
récente et me chasser du monde à tout
jamais. Quelle voix ? Je ne sais, mais je me
rendis compte beaucoup plus tard que les
livres en question étaient des ouvrages de
Port-Royal. On les reconnaissait au ton, à
ce quelque chose d'absolu et d'intimidant
qui troublait en moi le pécheur encore mal
informé de sa corruption, pour employer le
langage de ces messieurs austères. Je remettais les livres dans la boîte, j'en prenais d'autres plus aimables. Que se passait-il? Pourquoi

n'y avait-il pas quelqu'un pour me parler ?
Les brefs avis que je recevais au confessionnal
ne m'éclairaient guère et je n'avais plus de
directeur. Je n'avais pas voulu être dirigé
par le Père X. et du reste, il était loin et
j'avais l'impression qu'il s'était détourné de
moi à jamais.

Un jour pourtant, je le revis au pied de
l'escalier qui menait à la chapelle de la rue
Cortambert. Je sortais de cette chapelle et
il se trouva là. Il me dit quelques mots en
souriant de cet air de bonté qui faisait de
lui un ange à mes yeux et il me dit : « Sou-
venez-vous, mon enfant : *oportet eum cres-
cere, me autem minui.* » Je crois bien que
ce furent là les dernières paroles que je lui
entendis prononcer en ce monde, mais je
n'ai rien retenu d'autre, sinon qu'il faisait
très beau et qu'il se tenait dans la lumière,
près de la porterie, le doigt levé, un peu
comme une apparition.

★

J'étais encore plus tourmenté que ces pages
ne le donneraient peut-être à croire. Si j'en
doutais aujourd'hui, les documents seraient là
pour me prouver que j'ai tort, car j'écrivais

beaucoup. J'ai oublié de dire qu'ayant passé
la première partie de mon baccalauréat en
1917, j'avais le désir de passer la seconde à
la première occasion. A cet effet, j'avais emporté en Argonne, puis en Vénétie, puis en
Allemagne les livres qui m'étaient nécessaires. Je trimbalais ainsi deux gros bouquins
de philosophie qui m'ennuyaient à périr et
des manuels de physique, de chimie et de
mathématiques auxquels je n'entendais rien.
La philosophie me paraissait inutile, puisque
l'essentiel de ce que l'on devait savoir se
trouvait dans la Bible qui contenait toute la
sagesse. J'avais horreur, surtout, des différents systèmes qui se contredisaient sans
jamais arriver à une conclusion acceptable
pour tous. Les philosophes genre Stuart Mill
et Auguste Comte bénéficiaient dans mon
esprit d'une haine de choix comme plus rebu-
tants que les autres. Avec quel soulagement
je retournais à Crampon dont j'ai si injustement parlé plus tard !

De retour à Paris en mars 1919, je commençai par perdre la tête parce que je me
trouvais de nouveau libre, et il y eut cette
crise religieuse d'avril dont j'ai parlé et
aussi ces immenses promenades mêlées de
rêves et de chants, puis je finis par me ressaisir et décidai de me présenter au baccalauréat de juillet. Fini de rire, me dis-je
alors, et je me dressai un emploi du temps
d'une sévérité épouvantable. Le voici : Matin,

6 h à 7 h, Histoire; 8 h et demie à 9 h et demie, Chimie; 9 h et demie à 10 h et demie, Histoire naturelle; 11 h - midi, Physique; Midi - midi et demie, Géographie. Après-midi : 1 h et demie - 2 h et demie, Philosophie; 3 h - 4 h, Chimie; 4 h et demie - 5 h, Histoire; 5 h et demie - 7 h et demie, Dissertation; 8 h et demie - 10 h et demie, Philosophie.

Je me demande où je trouvai le temps de lire Pascal. Je le lus pourtant. De 1919 à 1935, j'ai noté toutes mes lectures, et il est certain qu'en juin 1919, je lisais les *Pensées,* me mettant à genoux quand j'arrivais au *Mystère de Jésus,* mais ou je me trompe fort, ou j'abandonnai cet emploi du temps inhumain au bout de quelques semaines. Car je lisais également Montaigne, et, salade monstrueuse, Edgar Poe, Tolstoï, Bergson, Ibsen et Verhaeren. A mesure que s'approchait la date du baccalauréat, je m'installais dans une sorte de désespoir tranquille, parce que je savais qu'il faudrait quelque chose qui ressemblât à un miracle pour me faire passer, mais au fond, tout cela m'était égal parce que personne ne m'avait demandé de me présenter à cet examen, mais je pense que je voulais faire plaisir à mon père. Enfin la date horrible arriva, comme il fallait s'y attendre. J'étais seul à la maison, Anne sortant presque toute la journée et mon père prolongeant bien malgré lui son séjour au Danemark.

De ces deux journées à la Sorbonne, il m'est resté le souvenir d'un rêve désagréable. J'écrivais et je répondais tout en me disant que rien de tout cela n'était vrai. Mes dissertations française et anglaise me valurent des compliments (soudain tout redevenait vrai), mais un morne silence planait sur les réponses écrites que je faisais à des questions très indiscrètes sur les extravagances du tournesol et les caprices des lois de la pesanteur. Du temps passa — mais je ne passai point. Telle fut, en tout cas, mon impression quand je lançai un coup d'œil désabusé sur la liste des candidats reçus. Cette liste affichée dans un couloir de la Sorbonne, je ne la vis que d'assez loin, car il me répugnait d'entrer dans la bousculade et d'être touché par tous ces garçons qui se poussaient devant la petite feuille blanche, mais j'étais moralement certain de n'avoir pas passé. On trouvera inconcevable que je n'aie pas insisté pour savoir, que je n'aie pas attendu, mais j'étais sans doute trop orgueilleux pour avoir la preuve de mon échec. Cette vérité-là, je n'en voulais pas. J'aimais mieux rentrer chez moi en me disant : « J'ai sans doute échoué, mais qui sait ? » Et puis, tout cela n'était peut-être pas réel. Mon système philosophique personnel me permettait d'en douter. C'était commode, au fond. On gardait la paix. Je me souviens qu'il faisait un temps magnifique et que, rentrant à pied

par l'avenue Henri-Martin, je remarquai les
larges mains vertes des marronniers que la
brise agitait doucement et qui semblaient
bénir mon indifférence. J'écrivis à mon père
que je n'avais pas été reçu et il répondit que
cela n'avait pas d'importance, que je n'avais
pas bénéficié des conditions voulues pour réus-
sir. Vingt-sept ans plus tard, mon camarade
Philippe qui m'avait accompagné (mais je
l'avais fui, ne voulant pas savoir) m'affirma
que j'avais passé. Ce serait curieux si c'était
vrai, mais je ne le crois pas.

★

J'aurai beau faire, je ne me rappellerai
pas tout. Si j'avais tenu un journal à l'époque... A vrai dire, j'en tenais un, mais trop
irrégulier et dont il ne reste que des bribes.
Mais l'inconvénient d'un journal est que
prenant la place de la mémoire, il prive de
sa fraîcheur ce à quoi il se substitue. On finit
par ne plus se souvenir que des mots qu'on
a écrits. C'est ce qui se passera pour moi
quand j'aurai fini de raconter mon histoire.
Malgré tout, il y aura ce livre.
Ma cousine Sarah se vantait quelquefois
d'avoir pour grand-père un évêque protes-

tant. Elle ne ressemblait pas plus aux
« filles » d'aujourd'hui, qu'aux jeunes personnes de 1919, même aux plus émancipées.
Un cœur d'or, un tempérament de feu, la
rage de plaire, la tête aussi légère que possible, de la religion, mais sentimentale, la
voilà à peu près telle qu'elle se présente à
moi par le souvenir. Un jour qu'elle faisait
une fois de plus des caramels, je ne sais ce
qui me poussa à lui raconter mon étrange
aventure avec Lola. Peut-être était-ce le désir
de libérer ma conscience, car je n'étais pas
très tranquille de ce côté-là. D'autre part, je
ne connaissais pas bien les idées de ma cousine, car à ma grande stupeur, sans lâcher la
longue cuiller de bois qu'elle tournait avec
une lenteur égale (il y avait quelque chose
de presque religieux dans le soin qu'elle mettait à faire ses bonbons), elle me dit : « Quel
dommage que tu ne sois pas retourné auprès
d'elle. Ç'aurait été *si joli*... » Ces mots que
je souligne me coupèrent le souffle. Je
m'écriai que ç'eût été un péché, et grave.
« Sans doute, sans doute, dit la petite fille
de l'évêque. Tout de même... » A quelque
temps de là, elle m'annonça qu'elle allait
faire un petit voyage de rien du tout avec
Ted le marin, mais pas un mot de cela dans
mes lettres à l'oncle Edouard. Je promis. Ils
devaient aller au Croisic. Je ne connaissais
pas cette région. Je les imaginais faisant des
promenades en mer, déjeunant dans des guin-

guettes, mais je ne les enviais pas, la mer
me faisait horreur. Quelle idée d'aller là-
bas ! Pas une fois le soupçon ne m'effleura
qu'il pût y avoir autre chose que des guin-
guettes et des promenades en mer. Que Ted
s'éloignât de Paris me convenait parfaitement, parce que je le trouvais ennuyeux,
comme je l'ai dit, et puis il y avait cette sorte
de nappe de feu que je sentais sur moi
quand il paraissait...

Au bout de huit ou dix jours, ma cousine
revint. Elle semblait très satisfaite de son
voyage et me parla des charmes qu'elle trouvait à la compagnie de Ted, et je ne sais comment elle en vint à m'interroger sur ce que
je pensais de cette escapade. Sans doute crai-
gnait-elle ce que je pourrais dire de dangereux, car mon innocence lui faisait peur. Que
voulait-elle que j'en pense, de son voyage ? Je
n'en pensais absolument rien. « Tu ne vas pas
t'imaginer des choses... » « Quelles choses,
cousine Sarah ? » Elle me dit que les hommes
faisaient quelquefois des bêtises avec les femmes, ou qu'ils essayaient... « Pas lui !
m'écriai-je. Il est trop sérieux. Il ne ferait
jamais rien de mal. » Cette phrase singulière m'est restée dans l'esprit à cause des
abîmes d'ignorance qu'elle laissait supposer
chez moi. Pouvait-on être plus sot, plus naïf ?
Quoi qu'il en soit, ma cousine parut soulagée,
ne réfléchissant pas que j'aurais dû lui dire
que, s'il n'y avait pas eu de bêtises, comme elle

disait, c'était à coup sûr parce qu'ELLE était trop sérieuse pour jamais rien faire de mal. Avec un grand éclat de rire, elle me sauta au cou et dit : « Quand Ted saura ça, il sera enchanté. Il t'aime beaucoup, tu sais. » Je ne compris rien à cette joie. Aujourd'hui, il me semble entendre le jeune Américain dire à ma cousine en parlant de moi : « *He's just a kid !* » (Ce n'est qu'un enfant.) Ils sont morts tous les deux et depuis longtemps. J'étais loin de me douter alors des souffrances qui m'attendaient dans quelques mois.

Un jour de mai, à la suite de circonstances que j'ai oubliées, mon ami Philippe me mena jusqu'en haut de l'immeuble qu'il habitait avec ses parents. Nous nous trouvâmes dans une chambre de bonne où tout était en désordre. Pourquoi m'avait-il mené là ? Je n'en sais rien, mais je lui demandai tout à coup : « Où trouve-t-on des femmes ? » Il éclata de rire. « Partout. Dans la rue. Au *Sphinx* (il m'expliqua ce qu'était le *Sphinx*). Aux abords des théâtres, dans les théâtres. Il faut regarder, savoir leur parler, etc. » Je

lui demandai s'il fallait leur offrir de l'argent
pour faire ces choses que je voulais. « Ça
dépend. Si on a du bagout, on s'en tire à
peu de frais, mais il vaut mieux avoir un peu
d'argent sur soi pour les consommations. »
Je ne savais si j'avais du bagout ou non.
Quant à l'argent, j'étais bien sûr de n'en
pas avoir du tout.

Mais que voulais-je donc ? Je ne le savais
pas d'une façon précise, faute d'expérience.
J'imaginai des joies surhumaines, telles que
les dieux avaient pu en connaître, car pour
mon plus grand malheur, je commençais à
m'intéresser à la mythologie, et elle me grisait. Parmi les livres de la maison se trouvait
le petit *Dictionnaire de la Fable,* de Beauzée,
qui, dans un style glacial et suranné, narrait
les amours de toutes les divinités surexcitées
dont le génie grec a empli l'univers. Bien
des choses m'échappaient. Toutes les ano-
malies demeuraient pour moi incompréhensibles, parce que l'auteur n'y faisait allusion
que dans des termes d'une politesse pleine
d'obscurités, mais je concluais de cette lecture devenue presque habituelle que la
volupté ouvrait aux hommes une sorte de
Paradis dans lequel entrait qui voulait. Alors,
pourquoi pas moi? Un curé de campagne
m'eût expliqué en deux minutes que j'étais
la proie de rêveries, mais il n'y avait personne pour me parler. C'est même ce qui
me frappe le plus dans cette période de ma

vie : j'étais seul. Et sans doute, quand j'avais
commis une faute, j'allais me confesser, mais
le désir de la communion me quittait, bien
que je me rendisse toujours à la messe du
dimanche. Apparemment, la religion n'y pouvait rien. Comme le poète, j'étais hanté, et
je l'étais d'autant plus gravement que cette
ardeur inapaisée demeurait surtout céré-
brale.

Mon baccalauréat passé, ou raté, je retrouvai une liberté entière et ne me souciai en
aucune façon de l'avenir. Presque tous les
jours j'allais au Louvre. La galerie du bord
de l'eau était à peu près sans danger pour
moi, car je n'y trouvai rien de particulièrement voluptueux. Je n'aurais pu en dire
autant des salles de sculpture antique où je
ne pénétrais que la conscience inquiète. Pourquoi donc ? Ma mère ne nous y menait-elle
pas jadis ? Aujourd'hui pourtant, c'était bien
autre chose. Ces hommes et ces femmes nus,
je les voyais vivant d'une vie suspecte. Leur
nudité seule demeurait un péché à mes yeux.
On n'avait vraiment pas le droit de les regarder, de les regarder trop longtemps, trop

curieusement. Quels coups terribles ébran-
laient ma poitrine quand, tournant autour
d'elles, je levais les yeux sur ces statues de
marbre ! Elles me faisaient mal, elles jetaient
sur tout le devant de mon corps cette espèce
de brûlure que je commençais à connaître sans
en comprendre le sens. Impassibles ces dieux,
mais comme on souffrait devant eux et
dans cette souffrance, quel bizarre plaisir !
On souffrait et on ne voulait pas s'arrêter de
souffrir. On tournait les talons et on revenait. On craignait d'être vu regardant ces
choses, il fallait guetter le moment propice...
C'est maintenant, maintenant il n'y a personne, on peut s'enivrer de nouveau et
souffrir, on est pris, on n'est plus du tout
libre. Tout cela n'est que de la pierre, mais
cela fascine. Admire et apprends, soûle-toi,
garçon étonné qui te perds dans ce sinistre
Olympe aux lueurs de cave !

Je me retrouvais dans la cour du Louvre,
puis sur les quais, ravagé d'une tristesse
que je m'expliquais mal. Ma gorge, mes
entrailles se serraient. Je ne savais pas bien
ce que je voulais ou plutôt je voulais ce qui
n'existait que dans mon imagination. Mes
rêveries sensuelles ne tenaient pas compte
de l'humanité telle qu'elle m'apparaissait
dans les rues. Je me souviens m'être assis
sur un banc du quai du Louvre en proie à
un vrai désespoir à l'idée que les êtres hu-
mains n'étaient pas des dieux.

★

Ce fut vers ce moment que je reçus un jour un mot de mon camarade l'aspirant qui demandait à me voir.

Que ne donnerais-je pour me souvenir un peu mieux de ces mois qui comptèrent tant pour moi ! Mais je n'arrive à voir que de courtes scènes isolées comme de petites toiles dans un musée très moderne où de grands espaces séparent les peintures. Me voici donc dans l'avenue du Bois en compagnie de l'aspirant blond. Mon impression est qu'il est encore en uniforme. Je revois en tout cas son visage si fin et si pur et ce regard d'un bleu *virginal* (est-ce pour cela que je ne puis revoir ce jeune homme qu'en bleu horizon ?) Je portais, en ce qui me concerne, un costume à minuscules carreaux blancs et noirs qui avait sans doute paru d'une grande élégance quand il revêtait la personne de mon beau-frère, mais qui, tant soit peu retaillé, m'allait assez mal et me donnait vaguement l'air d'un habitué des champs de courses, ce que mon visage démentait avec violence; enfin je haïssais ce costume comme j'avais haï, jadis, le col d'astrakan.

Après une assez longue promenade dont

je ne me rappelle absolument rien, nous arrivâmes enfin à la Porte Dauphine et remontâmes jusqu'aux environs de l'avenue Bugeaud. Ce fut là que je dis à l'aspirant blond que mes idées avaient changé et que je comptais désormais bien m'amuser. « Vous amuser ? » « Oui, avec des femmes. » Il me posa alors une question à laquelle je ne m'attendais pas : « Comment allez-vous faire ? » Je lui répondis en riant que je savais bien ce qu'il fallait faire pour trouver des femmes. Gravement il me considéra. Il était beaucoup plus calme qu'en Allemagne. Sans doute sa fringale amoureuse s'était-elle apaisée à Paris. Quoi qu'il en soit, il laissa passer quelques secondes, comme pour me donner le temps de rire, puis il dit avec un sourire mélancolique : « Je vous aimais mieux tel que vous étiez en Allemagne. » A cela je ne trouvai rien à répondre, ou si je répondis quelque chose, je l'ai oublié, mais je fus frappé de l'entendre parler comme s'il parlait à la place d'un autre et ma conscience me fit souffrir.

★

Nous nous quittâmes pour ne jamais nous

revoir. Au bout de quelques heures, je ne pensai plus à lui et le désir de m'amuser s'installa en moi, mais où et comment trouver des femmes ? Ce pluriel comptait. C'était ainsi qu'on disait. Je me souvins que Philippe m'avait dit qu'on en rencontrait dans les théâtres, mais qu'il fallait avoir de l'argent pour les consommations. A cet effet, je décidai de frapper un grand coup et de vendre la chevalière que je portais à la main gauche. Cette chevalière (sans blason) m'avait été donnée par un ami de mon père alors que j'avais quinze ans et ne me quittait jamais. Je l'admirais à un point qu'on ne croirait pas possible. D'abord elle était à moi et cela seul lui conférait une qualité exceptionnelle, et puis tout le monde savait que l'or était le métal le plus précieux du monde. Avec un étrange plaisir, je faisais glisser l'anneau sur mon doigt à tout moment. Il me semblait qu'il faisait partie de moi-même et il m'arrivait de le porter quelquefois à mes lèvres. Malgré tout, je résolus d'en faire le sacrifice, estimant que les voluptés que j'allais connaître me dédommageraient très largement. Je me rendis — puis-je jamais l'oublier ? — chez un petit bijoutier de la rue Guichard, à quelques minutes de chez nous, et lui montrai la bague en question. Il l'examina d'un air un peu dégoûté, comme s'il en avait assez d'examiner des chevalières, et me la rendit en disant : « Vingt francs. »

Vingt francs... Je me demandai si c'était
assez pour avoir une femme. Après une hésitation, car j'étais malgré tout un peu déçu et
il ne me venait pas à l'esprit que cet homme
ne fût pas honnête, je répondis que j'étais
d'accord, et je sortis de la boutique noire
sans ma chevalière, mais avec un billet de
vingt francs dans mon portefeuille.

Restait à choisir le théâtre. Je pouvais
sortir à ma guise, me trouvant seul à la
maison. La liste des spectacles dans le *Journal* fut l'objet d'un examen des plus attentifs et je crois bien qu'enfin je choisis le
Palais-Royal, parce que j'avais entendu dire
à mes parents que c'était un théâtre où les
enfants ne devaient pas mettre les pieds.
Quelle pièce y donnait-on ? Je ne sais plus.

Mourant de timidité, déjà, je me présentai
au guichet une bonne heure avant le spectacle et pris un fauteuil de balcon. La salle
était vide. *Elles* n'étaient pas encore là. Peu
à peu, il en vint cependant, toutes accompa-
gnées, ce qui ne simplifiait pas les choses.
Enfin la salle se remplit et le rideau se leva
sur une pièce qui me parut d'une obscurité
étonnante, parce que n'ayant jamais vu de
pièces qu'au Châtelet, où tout était limpide,
je n'arrivais pas à saisir ce soir-là les rela-
tions des personnages entre eux, mais je
comprenais en tout cas que plusieurs étaient
obsédés du même désir que moi, à savoir de
coucher avec une femme. Je me souviens qu'il

y avait en scène, vers le milieu du deuxième
acte, une grosse dame qui demandait à une
jeune fille de lui chanter quelque chose, et la
jeune et jolie personne (celle-là m'irait bien,
pensais-je) se mit à détailler une chanson
pleine de sous-entendus qui faisaient rire la
salle entière à l'exception d'un seul spectateur
qui ne saisissait pas bien, puis la grosse dame
qui, elle non plus n'avait pas compris, sans
doute, battait des mains et disait : « J'adore
ces petites chansons naïves. »

Pendant les entractes, j'errai dans les couloirs et devant le théâtre, espérant qu'une
charmante jeune fille me sourirait, mais rien
de tel ne se passa. Personne ne faisait attention à moi et la question de l'aspirant me
revint à l'esprit : « Comment allez-vous
faire ? » Apparemment, les renseignements
de Philippe étaient inexacts. Je rentrai chez
moi comme j'en étais parti, mais telle était
mon insouciance que tout le long de l'avenue
Henri-Martin, je chantai dans l'allée cava-
lière. Malgré tout, je regrettai un peu ma
jolie bague et me demandai ce que j'allais
dire à mon père quand il reviendrait du
Danemark. Avec ce qui me restait d'argent,
je m'achetai quelques livres sur les quais.
Quant à l'envie de m'amuser, elle m'aban-
donna d'un coup, pour quelque temps :
c'était vraiment trop difficile. Peut-être, me
dis-je, eût-il été plus simple d'aller à cet endroit qu'ils appellent *le Sphinx*, mais je mou-

rais de peur. Là était la vraie difficulté : je
manquais de hardiesse. On me regardait et je
devenais rouge.

★

Ce que je vais dire à présent surprendra
un peu. J'avais beau avoir ces idées de dé-
bauche orientale en tête, je n'en restais pas
moins religieux et la Bible était toujours
ma lecture ordinaire. J'avais toujours dans
ma poche un mince volume que Mouser
m'avait donné et qui contenait, admirable-
ment reliés en veau, la traduction en anglais
de l'*Ecclésiaste,* du *Livre de Job* et de l'*Epître
de saint Jacques.* Pourquoi ce choix ? Mouser
elle-même l'avait fait.

Cela correspondait à ses idées. Elle aimait
ce qui était rogue, noir et désabusé. Il y avait
aussi dans ce même volume, qui ne m'a pas
quitté, du reste, qui est maintenant sur ma
table de chevet, le *Livre des Proverbes* lequel,
on le sait, est d'une sévérité extrême à l'égard
des imbéciles et des enfants désobéissants
qu'il est bon de châtier sans miséricorde. Je
ne raffolais pas des *Proverbes,* mais j'aimais
beaucoup Job dont les obscurités me ravissaient. Quand, dans mes courses à travers

Paris, je me sentais las, je m'asseyais sur un
banc et je lisais Job. Il me semble que maintenant, je ferais encore de même, si l'on pouvait lire dans les rues de Paris d'aujourd'hui.
Or, il se trouva qu'un jour je choisis de m'asseoir sur un banc du boulevard de la Madeleine. En 1919, on pouvait faire cela. Les voi- .
tures ne me gênaient guère. Elles étaient
infiniment moins nombreuses et l'air n'était
pas encore empoisonné.

Si je me souviens de ce détail, c'est à cause
de ce qui suivit. Il pouvait être onze heures
du matin. Ayant achevé ma lecture, je remis
mon livre dans ma poche et allai regarder la
devanture du libraire Conard qui se trouvait
à la hauteur de la statue de Jules Simon (cette
abomination se trouve maintenant près de
Saint-Augustin; la librairie Conard est aujourd'hui ailleurs). Comme j'admirais les
livres, j'entendis une voix fort polie me
dire : « Excusez-moi, Monsieur. » Tournant la
tête de côté, je vis alors un jeune homme
vêtu avec beaucoup d'élégance qui soulevait
son chapeau et me souriait. Son joli visage
était légèrement poudré et je le regardai avec
stupeur, car je ne le connaissais pas. Souriant
de toutes ses dents, il me demanda alors
l'heure qu'il était. « Mais, lui dis-je, en lui
montrant une horloge devant la Madeleine,
voyez donc, Monsieur. » Alors, avec un nouveau sourire, il s'inclina et me donnant un
nouveau coup de chapeau, s'éloigna. Je re-

marquai alors qu'il portait des guêtres couleur pêche et une canne. Pourquoi, me demandai-je, me posait-il une question aussi
sotte ? Ne voyait-il pas cette horloge ? Voulait-il se moquer de moi ? Il paraissait pourtant si poli. Ce chapeau clair, ces guêtres,
cette canne... Quelle élégance ! Il devait me
trouver bien mal habillé... Au bout d'un instant je n'y pensai plus, mais je m'en souvins
beaucoup plus tard.

Quand mon père revint du Danemark, vers
la fin de juillet de cette année-là, il m'annonça qu'il avait reçu une lettre de mon oncle
Walter à mon sujet. Anne, qui était aussi
présente, apprit comme moi que l'oncle Walter offrait de se charger de moi pendant
quatre ans si je désirais finir mes études
dans une université américaine. « Et que
vas-tu faire, Papa ? » demanda Anne. « L'envoyer là-bas au plus tôt. » (*Send him off
packing.*) Cette réponse me fit l'effet d'un
coup de poignard en plein cœur. Je ne voulais à aucun prix quitter la France, que j'aimais, pour un pays que je ne connaissais
pas. De plus, je me considérais comme

Français, mais le moyen de désobéir à mon
père ? Cela, je n'y aurais pas songé une minute. Il m'aurait envoyé à Tombouctou que
j'aurais dit *amen.* Je n'exprimai donc aucune opinion et dis simplement : *All
right,* comme toujours. Je me félicite aujourd'hui, non seulement de lui avoir toujours obéi tout de suite et sans jamais discuter, mais de n'avoir pas fait de difficultés
pour accepter une chance unique que m'offrait la vie.

Ce n'était pas ainsi, cependant, que je
voyais la chose à ce moment-là. Je me fis
l'effet d'un condamné à mort. Mon père m'in-
forma qu'il demanderait à mon oncle de
m'envoyer à l'Université de Virginie, la première du Sud, et une fois de plus je dis *All
right.* Je savais que mon père n'avait pas
d'argent. Ce que je ne savais pas et n'appris
que beaucoup plus tard, c'est qu'il en gagnait
en réalité beaucoup, mais que ces sommes
considérables servaient en majeure partie à
éteindre des dettes dont certaines remon-
taient aux premières années du siècle. Avant
la guerre, en effet, tourmenté par le désir de
nous laisser à tous de quoi vivre, il avait spé-
culé, perdu, respéculé, reperdu, empruntant
chaque fois des sommes d'argent dont le total
équivalait à une fortune. Cet homme si sage, si
scrupuleux et si modéré avait en lui cette foi
dans le coup de chance qui arrangerait tout.
Quand il s'arrêta de spéculer, il était prati-

quement ruiné. Plus de quinze années de
travail lui furent nécessaires pour rembour-
ser tout le monde et il mourut sans devoir
un sou à personne, mais ne nous laissant
pas même ce qu'il fallait pour l'enterrer.

On comprendra sa joie quand il apprit
que mon oncle se chargeait de moi. Du
reste, mon père n'avait-il pas pris soin de
sa nièce Sarah pendant neuf ans, Sarah qui
était orpheline et dont mon oncle Walter
ne savait que faire lorsqu'il nous l'envoya
en 1910 en demandant à mes parents de se
charger d'elle pendant quelques semaines ?
Dans toute cette histoire, je ne puis m'empêcher de voir un prêté pour un rendu, ce qui
ne diminue en rien la générosité de mon
oncle.

Ai-je dit que vers la fin de la guerre, Sarah
s'était elle aussi engagée dans la Croix-Rouge ?
Son travail, beaucoup moins pénible que celui
d'Anne et de Retta, consistait à réconforter de
sa présence les blessés de l'hôpital américain
de Neuilly. Il y avait beaucoup de plateaux
chargés de pâtisseries dans ses histoires, beaucoup de médecins absolument adorables, *my
dear*. Laissons cela. Une circonstance heu-
reuse voulut que la Croix-Rouge américaine,
en 1919, offrît à tous ses membres le rapatrie-
ment gratuit sur un bateau que le gouvernement français mettrait à leur disposition.
Cette fois, Sarah allait rentrer chez elle, mon
père l'avait décidé. Et pourquoi Julien, qui

avait également servi dans la Croix-Rouge américaine, ne profiterait-il pas de cette occasion ? Pourquoi pas, en effet ? dit la Croix-Rouge. Le bateau partait de Marseille le 19 septembre. Je serais peut-être un peu en retard pour l'ouverture des cours, « mais ce garçon rattrapera tout le monde, fit mon père, j'ai confiance ».

Affreusement éberlué, je murmurai : *All right,* puis j'allai aussitôt faire part de l'épouvantable nouvelle à mon ami Paul dont je n'ai jamais encore parlé, et cela à dessein, parce que je ne sais si cela lui plairait. Qu'il suffise de dire que politiquement il était fort à gauche, « kienthalien », murmurait-on au lycée pendant la guerre; Paul avait des idées absolues qu'il exprimait sans ménager personne. Il m'écouta, puis dit avec force : « Il faut te révolter. » Me révolter contre papa ! Je lui dis que ce n'était pas possible et il me couvrit d'un regard de mépris.

Qu'on me les rende, ces jours dorés où je me croyais si malheureux ! Je me plaignis beaucoup au confident que j'ai appelé Paul, je lui parlai comme quelqu'un qui va s'exiler pour toujours et mourir dans une terre hostile. Les quelques livres d'art que je possédais et auxquels je tenais furieusement, je les lui confiai comme à mon dernier ami en ce monde. L'Amérique, je la détestais tout à coup. Mon vrai pays était la France,

on m'arrachait à la France, à ma ville na-
tale.

Au bout de quelques heures, je me calmai
et avec cette prodigieuse mobilité d'humeur
qui formait alors le fond de mon caractère,
je me plus à voir toutes ces choses sous un
aspect romantique. Après tout, il y avait
Chateaubriand. Je me souvins d'*Atala*. Dans
le petit salon de la rue Cortambert, je ges-
ticulai devant la glace, j'imaginai que là-
bas, on allait m'admirer, m'aimer, puisque
c'était cela que je voulais. Je cherchais à me
rassurer, de là ma faim perpétuelle de compliments.

Pour m'habituer à l'idée de ce pays que
je ne connaissais pas, je faisais tourner sur
notre phonographe des disques de *rag-time*
qu'en temps ordinaire je ne voulais pas
écouter. Qu'il y avait loin de Chopin au rag-
time ! Cette musique moderne, je la trouvais
barbare, et pourtant il y avait quelquefois
des airs qui me donnaient subitement envie
de pleurer, mais il faut dire qu'alors je
pleurais pour un rien, non sans un secret

plaisir. C'étaient probablement les tout premiers airs de Gerschwin que j'entendais.

Je me demande aujourd'hui comment j'ai pu être aussi longtemps si naïf. Afin de me mettre au courant de la vie américaine, il me sembla indispensable de lire Edgar Poe. Avec l'argent que mon père me donna pour mon dix-neuvième anniversaire, je me rendis chez Galignani et m'achetai les œuvres complètes du grand visionnaire. « Et puis, pensai-je, ce sera bon pour mon anglais. » Je le lus, et comme il fallait s'y attendre, les yeux m'en sortirent de la tête. Ces histoires d'enterrés vivants, de morts qu'on ramenait à la vie et qui protestaient qu'ils étaient morts, de châteaux hantés par la peste, tous ces somptueux cauchemars déferlèrent en moi avec une force énorme et, du coup, je me sentis pleinement réconcilié avec l'Amérique capable de produire une prose aussi violente et aussi précieuse, avec un tel raffinement dans la monstruosité. Assurément, on ne devait pas s'ennuyer là-bas. Mon imagination prit feu, or, je n'étais qu'imagination et sensibilité. J'appris des vers de Poe, je soupirais après Ulalume, je me promenai dans les allées de cyprès avec Psyché, mon âme.

Ces heures étranges de demi-hallucination me sont restées dans l'esprit parce que je crois que dans une certaine mesure elles m'ont marqué, mais elles ont fait fuir le

17

souvenir d'événements plus précis dont il ne
reste pas trace dans ma mémoire. Je me
rappelle seulement que le 6 septembre 1919,
jour de mon anniversaire, Anne, Sarah et
quelques amis se réunirent pour fêter la circonstance. Il y eut des gâteaux et l'on me
fit des compliments. A cet âge, il ne m'en
fallait pas beaucoup plus pour me sentir
heureux. Ma cousine me dépeignit le Sud
sous des couleurs merveilleuses qui me re-
mirent en tête les récits de Maman. J'allais
donc voir tout ça ! Je ris, je fis des plaisanteries idiotes.

Vint le jour où il fallut se préoccuper de
mes bagages. Mon père décida qu'il était inutile de m'acheter une malle et qu'une de ses
grandes valises suffirait. Ces valises, je les
connaissais bien. C'étaient celles qu'il rappor-
tait de ses voyages, ornées à chaque retour
d'une nouvelle étiquette dans une langue
souvent incompréhensible. Vide, chaque valise pesait déjà lourd, car elle était du cuir
le plus épais. Je remplis la mienne de
quelques chemises et de beaucoup de livres.

Le départ fut pour moi un déchirement.
Jusque-là, je n'avais pas cru qu'il aurait
lieu, rien n'étant tout à fait vrai. Il y eut pourtant un matin où je dus courir à la rue de la
Pompe chercher un taxi et tout le long du
chemin je me demandai si je n'allais pas me
couvrir de honte en pleurant. Ma cousine, qui
n'avait jamais eu envie de retourner chez

elle, faisait aussi triste chère que moi à l'avenir. Malgré quoi, nous nous trouvâmes bientôt à la gare de Lyon et en temps voulu dans
le train de Marseille. Sarah s'étendit sur la
banquette et dormit de chagrin pendant que
je guettais lugubrement le passage à Fontainebleau où je me figurais tout à coup avoir de
bons souvenirs. Je m'accrochais désespéré-
ment à tous les noms de gare.

★

Il y a des choses que j'oublie. Oublie-t-on
certaines choses exprès comme le prétendent
beaucoup de psychologues ? Je me rappelle,
en tout cas, que plusieurs semaines avant
mon départ, mon père m'envoya à l'ambas-
sade des Etats-Unis pour obtenir mon passeport. En ce temps-là, le bureau des passe-
ports se trouvait sur la petite place que
borde d'un côté le musée Galliera. Sauf erreur, une statue de Rochambeau occupait le
milieu d'un terre-plein, entourée de pla-
tanes. Je revois tout cela, et l'épicerie qui
faisait l'angle de la rue Pierre-Charron. Ce
que je revois aussi et qui m'empêchait d'entrer hardiment dans l'immeuble dont j'avais

l'adresse, était un soldat américain beaucoup plus grand que moi et beaucoup mieux. Sans doute avait-on soigné la tenue de ce personnage décoratif, car son uniforme kaki était taillé à ravir et s'agrémentait de guêtres de toile blanche qui me parurent d'une élégance extraordinaire. Sous son chapeau à larges bords incliné jusque sur le nez se voyait, si l'on avait l'audace de risquer un coup d'œil de ce côté-là, un visage aux traits sans défaut qui faisait songer aux dieux bouclés de l'art grec.

J'éprouvai un sentiment de stupeur qui m'envoya derrière la statue de Rochambeau, puis j'allai regarder la vitrine de l'épicerie, ensuite je revins m'asseoir sur un banc et tirai un livre de ma poche, mais je ne pus en lire une phrase. Il fallait traverser la place, de toute évidence, passer à côté du magnifique planton et m'engouffrer comme un rat sous la voûte. C'était ainsi que je voyais les choses. Je me sentais, en effet, insignifiant et plutôt ridicule devant ce jeune homme qui paraissait d'une autre humanité que la mienne, et bien malgré moi je le regardai. « S'ils sont tous comme lui là-bas... » pensai-je. Je me demandai pourquoi je n'étais pas aussi bien que lui, aussi fort. Le souvenir qui m'est resté de ces minutes est celui d'une souffrance inexplicable. Enfin, ayant honte de ma lâcheté, je traversai la place et passai droit devant le soldat.

« *Hey there !* »

Je m'arrêtai comme si je venais d'être changé en pierre et le garçon me demanda ce que j'allais faire et qui j'allais voir. De la voix des timides, qui est une voix rauque et légèrement agressive, je lui expliquai que j'étais américain et que je voulais un passeport.

« *Okay* », fit-il. « C'est au fond, à gauche. »

Et me tournant le dos, il se remit à faire les cent pas devant la porte d'entrée en sifflotant.

Je le revis une autre fois, car ayant fait ma demande ce jour-là, il fallut me présenter de nouveau quelques jours plus tard, et cette fois il me parut encore plus beau. Je rentrai chez moi dans un état de mélancolie profonde. Il est certain qu'avant de le voir, j'ignorais qu'un être humain pût rassembler en lui tant d'éléments de grâce et de perfection physiques et j'en demeurai étonné comme devant un mystère. Comment osait-on lui parler ? Quelle pouvait être sa vie ? Pendant des semaines, je portai en moi cette image qui me brûlait. A vrai dire, elle ne me quitta jamais tout à fait et je la retrouvai, sous une forme ou sous une autre, à travers toute mon œuvre.

★

Puisque j'en suis aux souvenirs qu'on
évite inconsciemment d'évoquer, soit pudeur,
soit prudence, j'en retrouve un autre qui
remonte beaucoup plus loin et que je remet-
trai sans doute à sa place, vers les années
treize ou quatorze. Parmi les immenses
livres d'art de mes parents, in-folios épais
qu'il fallait saisir à deux bras et n'ouvrir
que sur la grande table de la salle à manger
ou mieux, sur le tapis du salon, il y en avait
un qui contenait la photographie d'un tableau singulier. On voyait une dame romaine
à sa toilette, entourée de femmes qui la fri-
saient et la parfumaient, toutes noblement
vêtues de robes à plis. Une porte cependant
s'ouvrait dans le fond de la pièce et une très
jeune esclave écartait un rideau pour an-
noncer quelque chose — « Madame est servie » ou « Monsieur vient de se trancher les
veines » — et cette esclave qui était extrêmement belle était aussi tout à fait nue. Pas
une ombre sur ce corps à la peau foncée,
pas trace de sexe non plus. C'était là ce qui
me frappait d'admiration. Elle était belle
et devant il n'y avait rien. J'avais sous les
yeux l'image d'un être idéal, beau, mince,

svelte et totalement asexué. Or, cet être, je le
voulais et je le voulais tellement que pris d'inquiétude comme si je commettais un péché,
je tournais la page. J'aurais voulu que l'humanité entière, hommes et femmes, fût
comme la petite esclave, mais il ne fallait
pas regarder les personnages nus, et le cœur
lourd, je refermai le livre, mais j'y revins
plusieurs fois par la suite.

A partir de maintenant, je n'ai plus à me
fier à ma seule mémoire. Les documents
abondent. Presque tout ce que j'ai écrit à
cette époque et jusqu'en 1922 s'est conservé
malgré les déménagements, la guerre, et
toutes les circonstances qui font que les
papiers se perdent ou qu'on les brûle.

Le matin du 19 septembre 1919, je me trouvai à bord du bateau qui devait nous mener
de Marseille à Naples, où nous devions em-
barquer les membres de la Croix-Rouge
américaine en Italie. Que d'Américains et
d'Américaines autour de moi ! C'était un
joyeux tumulte où l'on reconnaissait les
accents de toutes les parties de l'Amérique,
dominés par le *twang* du Nord, cet accent

yankee auquel je ne pouvais me faire et qui m'indisposait alors. Malgré tout, j'étais sensible à la bonne humeur générale. Il me semblait qu'on ne faisait qu'entrer et sortir des cabines en riant et en criant. Je restai dans la mienne en proie aux idées les plus funèbres, car m'éloigner de France me brisait le cœur, lorsqu'un jeune officier américain entra en coup de vent et me jeta : « Imbécile, que fais-tu là à rêver ? Vite sur le pont avec ton passeport ! »

Nous ne partions pas avant la fin de la matinée. Je me soumis à toutes les formalités qu'on voulut et me mis ensuite à errer d'un pont à l'autre comme un prisonnier dans la cour de sa prison. C'est ici que se place un incident qui me frappa. Je me trouvais sur le pont inférieur, celui où s'amoncelaient les bagages, lorsque deux jeunes marins de l'équipage m'abordèrent. Je leur parlai avec d'autant plus de plaisir, et presque avec effusion, qu'ils étaient dans mon esprit les derniers Français à qui je parlerais peut-être jamais. Ce départ se présentait en effet à moi comme une sorte de fin de vie.

Je ne sais plus ce que me dirent les deux marins, mais ils me menèrent jusqu'à l'entrée d'un étroit escalier qui descendait dans les cales. Je revois très bien la petite porte s'ouvrant dans je ne sais quoi qui ressemblait à une gigantesque hotte. Là se tenait

un autre marin, peut-être un peu plus âgé,
et près de lui une quatrième personne que
je n'avais pas remarquée d'abord, parce
qu'elle était de petite taille. C'était un
mousse aux cheveux blonds tirant sur le
roux et qui me regardait en souriant... Je
m'écartai brusquement et remontai au pont
supérieur.

Cette petite scène, pour moi fort mystérieuse, me laissa un souvenir ineffaçable,
précisément parce que je n'y comprenais
rien, mais j'y pensai très souvent par la
suite.

★

Ma cousine Sarah avait déjà lié connaissance avec tout le monde, en particulier
avec ce qu'elle considérait comme le beau
sexe, et la traversée s'annonçait joyeuse,
sauf pour celui qui écrit ces lignes.

J'essayai de galvaniser au fond de moi-
même je ne sais quel enthousiasme à l'idée
que je partais pour l'Amérique, mais autant
vouloir faire jaillir des bouquets d'étoiles
d'un feu d'artifice sur lequel il a plu. Par
timidité, je ne parlais à presque personne,
sauf à ma cousine lorsqu'elle avait le temps

de m'accorder deux minutes, ce qu'elle faisait toujours de très bonne grâce : « Mais,
me disait-elle, tu n'es pas assez *sociable,* tu
devrais sortir un peu de toi-même, parler
aux uns et aux autres. Je suis sûre que tu
serais très *populaire.* » C'étaient là les mots
dont elle se servait. Pauvre fille, elle ne savait pas quelle triste mort l'attendait,
quelques années plus tard. Quand nous nous
éloignâmes du port, elle se tint près de moi
et dit : « La France, la France, nous la re-
verrons un jour. » Elle ne devait jamais la
revoir, elle allait mourir à l'hôpital, six ans
plus tard, au moment qu'elle avait prévu
pour son retour à Paris.

Le surlendemain matin, je m'éveillai de
bonne heure, tiré de mon sommeil par le
silence des machines, et je regardai par le
hublot. Ce fut un des moments les plus
merveilleux de ma jeunesse. Je poussai un
cri : « Naples ! » Nous étions dans la baie
et le Vésuve se dressait tout rose dans le
soleil levant. Je crois que seule l'Italie m'a
donné une certaine impression de bonheur
terrestre dépassant tout ce qu'on peut attendre. A quoi cela tient-il ? Je ne puis le

dire, mais en voyant cette lumière dorée, ces
milliers de maisons multicolores, l'eau bleue
sous le ciel bleu, je me sentis enivré d'une
joie subite qui m'inspira des gestes bien
étranges.

On nous fit savoir que nous pouvions passer la journée entière à terre et à notre
guise. De petits groupes s'organisèrent, mais
je décidai de rester seul ce jour-là. Je ne
voulais pas partager le plaisir de découvrir
Naples avec des gens que j'appelais intérieurement des barbares, car je me renfermais
en moi-même, élevant autour de moi ces affreuses murailles dont je devais tellement
souffrir en Amérique. Naples serait à moi
seul.

Pour aller à terre, il fallait descendre par
un petit escalier de fer accroché au flanc du
navire et prendre place dans une des petites barques qui se trouvaient là à cet effet.
Je ne sais pourquoi, je fus le dernier à quitter le navire. Sans doute avais-je voulu ainsi
être sûr de me trouver seul et le fait est que
la barque dans laquelle je mis pied ne trans-
portait pas d'autre Américain que moi. Je
n'étais pas seul, cependant. Il y avait un
homme qui ramait et, assis en face de moi,
un jeune garçon. Avais-je des cigarettes ?
Non, pas de cigarettes. Mon canotier en au-
réole sur ma tête, je regardai le paysage
d'un air béat, enivré, stupide, j'en suis sûr,
pendant que l'homme et le jeune garçon

échangeaient des propos dans une langue qui m'était inconnue, le dialecte napolitain. Au bout d'un moment, le jeune garçon se mit à me parler italien. Des flatteries d'abord. Vous parlez bien pour un *straniero*. Nous arrivions. Déjà je me levai pour sauter à terre   quand mon interlocuteur me proposa de *far l'amore* avec sa sœur, une fille bellissime, me dit-il. Je fis non de la tête. Il se mit à rire. Si la fille ne m'intéressait pas, peut-être pourrait-il prendre sa place ? Je ne compris pas bien et devins rouge. A présent j'étais sur le quai et tirant quelques lires de ma poche, je les mis dans la main du batelier et me hâtai vers un escalier de pierre qui montait au port, mais je ne pus faire que la voix stridente du jeune garçon dépité ne m'accompagnât tout le long de ce petit trajet, et ce qu'il disait, à en juger par le ton, était loin d'être aimable. L'italien et le napolitain se mêlaient. Je distinguai le *va morir ammazzato* (va mourir assommé) que je connaissais bien pour l'avoir entendu à Gênes, mais il devait y avoir beaucoup de remarques extrêmement pittoresques qui m'échappèrent. De nouveau, je me sentis désagréablement troublé, mais quoi, une minute plus tard j'étais dans un fiacre, une *carrozzella*, et jetais au cocher l'adresse du Museo Nazionale.

Pourquoi ? Je puis maintenant me poser cette question. A première vue, il semblait

naturel que j'eusse le désir de voir un des
plus beaux musées d'Europe, mais qui m'en
avait parlé ? Personne. Je savais qu'il y
avait un musée et j'avais la passion des
musées. Malgré tout, je ne puis m'empêcher
de voir là quelque chose de moins simple et
de beaucoup plus ténébreux qu'une curiosité
de touriste. Une sorte de rendez-vous avait
été ménagé. Je reviendrai sur ce point.

Assis les bras écartés sur le siège de ma
carrozzella, je regardai une des villes les plus
sales et les plus merveilleuses du monde.
« Vivre ici, pensai-je, oh, vivre ici ! » Arrivé
à la porte du musée, je fus volé par le
vetturino, ce qui, je dois le dire, me parut
normal, mais je lui donnai ce qu'il voulut,
sans discuter, et j'entrai dans ce bâtiment
qui, si je me souviens bien, était rouge.

Ce qui m'étonne aujourd'hui, c'est que
les petits événements de la vie semblaient
ne rien m'apprendre sur moi-même. Je ne
pouvais ou ne voulais rien savoir et il y avait
en moi une opposition en quelque sorte invincible à tout enseignement utile.

J'étais beaucoup plus profondément troublé par la chair que je ne m'en doutais,
et quelque chose en moi tenait à me le
cacher. Quel nom donner à ce quelque
chose ? Je ne sais pas, mais je ne serais pas
tout à fait sincère si je ne disais que
cette question a été pour moi une cause
d'angoisse. Pourquoi ne pas dire plus sim-

plement qu'elle m'a torturé, cette question
terrible ? Elle m'a torturé parce que je savais trop bien que notre vie après la mort
n'est que le prolongement de notre vie en
ce monde, que celui qui va vers Dieu sur
cette terre vivra en Dieu à jamais dans le
ciel; que celui qui a rejeté Dieu sur cette
terre ne le trouvera peut-être pas de l'autre
côté de la tombe. Tout cela, je le savais intui-
tivement en 1919, je le savais en traversant les
salles au rez-de-chaussée du Musée National
de Naples, et ces salles je les traversai
comme si l'on m'eût guidé.

Quand je me trouvai dans la salle des
bronzes pompéiens, le sang se mit à me
battre dans le corps avec une force qui me
contraignit à m'arrêter. Puis-je jamais oublier cette minute ? La salle était vide. Il y
avait contre les murs des vitrines pleines
d'objets et tout autour de moi des statues
de bronze de tailles différentes. Elles me
coupèrent le souffle. Je compris que j'étais
au cœur d'une région interdite. Tout ce que
j'avais en moi de religion batailla pour me
faire quitter cet endroit dangereux, mais je
ne bougeai pas. C'est peu de dire que la nudité s'étalait entre ces murs : la volupté y
triomphait sous toutes ses formes. D'abord
je n'osai fixer les yeux sur rien de précis,
et peu à peu, comme je ne m'en allai pas,
je me sentis étrangement rassuré. N'étais-je
pas dans un musée où le monde entier ve-

nait admirer ces œuvres d'art ? L'expression
œuvre d'art couvrait tout, innocentait tout.
Je ne faisais rien de mal, je pouvais dire
à n'importe qui l'emploi du temps de cette
matinée.

D'une statue, puis de l'autre, je m'appro-
chai avec une sorte de respect, m'attardant
d'abord à celles qui m'intéressaient le moins,
par un étrange besoin de tromper ma
conscience, de lui donner le change —
comme si l'on pouvait — enfin de la faire
taire et j'arrivai à la statue que j'avais vue
de loin.

Elle me scandalisa. Le mot n'est pas trop
fort. Je lui trouvai d'abord quelque chose
de monstrueux, puis, d'une façon que je ne
saurais décrire, elle me séduisit. On pouvait
la croire inoffensive, on pouvait la mettre
dans une classe de dessin et la faire copier
à cinquante élèves en toute innocence, mais
il y avait en elle une puissance de corruption effrayante pour qui savait voir. Avec
une joie mêlée d'horreur, je tournai autour
de cette statue véritablement infernale.
J'étais envoûté si jamais homme le fut en
ce monde. Combien de temps restai-je là ?
Je n'en sais rien. Le temps n'existait plus,
je me sentais lentement devenir une autre
personne, éveillée, informée.

Sans doute des visiteurs traversèrent-ils
la salle, mais je ne les vis pas. Je ne vis pas
non plus que j'étais surveillé par un gardien

qui finit par s'approcher doucement. La scène
qui suivit fut étrange. Quand je vis cet homme
près de moi, j'eus la certitude qu'il m'observait depuis assez longtemps. Il était nettement
plus âgé que moi, bien qu'il dût être encore
jeune, mais je ne puis me souvenir de ses
traits. Je me rappelle sa politesse où il
entrait un rien de complicité. Il me salua et
demanda ce que le *signorino* pensait de la
statue. *Bellissima, no ?*

Je me sentis gêné mais le sourire du gardien
me rassura. De nouveau j'étais rassuré par
quelque chose que je ne comprenais pas, mais
qu'est-ce que je comprenais ? Tout à coup
la statue ne me parut plus du tout indécente,
mais très gracieuse et merveilleusement belle,
et il y avait ceci de plus qui pouvait me
tranquilliser, c'était que les attributs mascu-
lins se trouvaient réduits au minimum et
n'étaient plus que le signe très stylisé et très
embelli d'une partie du corps qui me faisait
horreur. J'avais devant les yeux une sorte de
monstre de beauté ne correspondant à aucune
réalité connue, ni enfant, ni homme, ni femme,
mais empruntant aux trois ce qu'ils avaient
de plus affreusement séduisant dans un rêve
qui rejoignait presque celui de Baudelaire.
J'aurais pu, il est vrai, ne pas répondre à la
question du gardien, faire celui qui ne comprenait pas. En fait, je murmurai : « *Bellissima.* »

Il m'expliqua d'où venait cette statue

qu'on attribuait à un grand sculpteur. Rose
de confusion, je l'écoutai, puis me calmant
peu à peu, je risquai quelques paroles dont
j'ai perdu le souvenir, mais je reçus des
compliments sur mon italien, et de nouveau il fut question de la statue. Avec quelle
bienveillance cet homme me regardait en
parlant ! Sa voix cordiale et presque cares-
sante, ses yeux souriants, je n'ai rien oublié
de tout cela, bien que je ne puisse revoir
ses traits. Je n'ai de lui qu'une impression,
mais très forte. Il me demanda enfin si cela
me ferait plaisir de posséder une copie de
cette statue, mais une copie qui imiterait
l'original à s'y méprendre. Oh, oui, bien
sûr ! Seulement, était-ce possible ? Tout à
fait possible, signorino. Mais j'étais en route
pour l'Amérique... Eh bien, on l'enverrait
en Amérique, si je voulais bien donner mon
adresse. Et... quelle somme faudrait-il verser ? Une très faible somme : cent cinquante
lires. Ce prix me parut dérisoire. Je donnai
l'argent et mon adresse au gardien qui me
fit un beau sourire et m'assura que j'aurais
la statue avant Noël. Et si je voulais l'admirer encore avant de partir... Il désigna une
banquette : « *Si accomodi !* » Ayant ainsi
parlé, il me laissa seul.

Or, de toutes les rencontres que j'ai jamais faites sur terre, la rencontre de cet
homme me fut certainement la plus néfaste.
Je n'insinue pas que j'avais eu affaire au

diable en personne ! Sans doute ce gardien
était-il parfaitement innocent dans toute
cette histoire dont je raconterai la suite
dans un autre volume, mais il est certain que
s'il ne se fût pas trouvé là, le cours de ma vie
eût peut-être changé.

★

En quittant le musée, le soupçon me vint
que j'avais été bien naïf de croire que j'aurais l'équivalent de cette statue pour une
aussi petite somme d'argent. Ne m'avait-on
pas dit cent fois qu'il fallait se méfier des
Napolitains ? Celui-ci pourtant s'était montré si particulièrement aimable, et il faut le
dire, si charmant. Et pourquoi ? C'était ce
que je ne pouvais pas démêler. Je verrais
bien, avant Noël, s'il s'était moqué de moi.

★

Alors que je me promenais autour du
château des rois d'Anjou, que les Napolitains appellent le Mâle Angevin, je rencon-

trai ma cousine et un groupe de ses amis
qui m'emmenèrent déjeuner et il fut convenu
que cet après-midi, nous irions tous visiter
Pompéi.

Ici encore, ma mémoire me refuse certains détails que je lui demande, mais je
me vois tout à coup dans les rues de cette
ville morte. Nous allons de maison en maison, de ruine en ruine, et nous voici enfin,
car c'est ce que tout le monde attendait, dans
la rue des lupanars. Ecartez-vous, Mesdames,
et veuillez avoir la patience d'attendre un
instant... Nous autres, les hommes, nous en-
trons dans ce qui reste d'une de ces maisons.
Sur le mur, distinguez-vous ces traits gravés
dans la pierre pour indiquer le nombre de
fois ? « Elles tenaient ainsi une espèce de
comptabilité... » Cette phrase m'est restée
dans l'esprit, mais plus fortement encore ce
qui suivit, car le guide déplaça des volets
et nous fit voir les fameuses peintures que
la plupart d'entre nous regardèrent avec un
mélange de gêne et de ravissement. Pour ma
part, j'éprouvai, joint à une curiosité aiguë,
un sentiment d'effroi et de répulsion. L'Albane n'était qu'une pensionnaire comparé à
l'auteur de ces peintures violentes et cy-
niques. Il y avait des précisions anatomiques
horrifiantes — je regardai, malgré tout, et
je regardai bien, mais intérieurement elles me
révoltèrent. Je n'osais voir quelle mine faisaient mes compagnons. En tout cas, ils se tai-

saient, malgré la grosse gaieté goguenarde de
notre guide qui nous offrit ensuite, moyennant
deux lires, la série complète des reproduc-
tions des fresques les plus salaces. Et pour
faire comme tout le monde, pour montrer que
j'étais un homme, je donnai moi aussi mes
deux lires et reçus en échange les six ou huit
affreuses petites photographies dont plusieurs faisaient voir des attitudes qui me
paraissaient inexplicables. Mais ces dames
s'impatientent, signori. N'oubliez pas le
guide !

★

Nous quittâmes Naples le soir même, non
sans y avoir cueilli, si je puis dire, outre une
douzaine d'Américains, une vieille Anglaise
dont je reparlerai. Elle allait aux Etats-Unis
pour des raisons que j'ai oubliées si je les
ai jamais sues, et profita de ce bateau de la
Croix-Rouge qui acceptait quelques passagers.
Quoi qu'il en soit, elle disparut aussitôt dans
sa cabine d'où elle émergea le surlendemain.

Je me réveillai dans le port de Palerme
où nous devions rester la journée entière.
Permission fut accordée à tous de se promener à leur guise pourvu qu'à la tombée du
jour tout le monde fût à bord. Ce voyage res-

semblait beaucoup à une croisière. La bonne
humeur était générale et de petits groupes
se formèrent pour aller visiter les curiosités
de la ville. Le nom de Monreale volait de
bouche en bouche. C'était Monreale qu'il
fallait voir, disait-on. En route, donc, pour
Monreale.

Avec ma sauvagerie habituelle, je décidai
que je n'irais pas à Monreale avec les barbares. C'était ainsi que je les appelais maintenant. Chers barbares au cœur sans malice,
je voudrais bien savoir en quoi je leur étais
supérieur, mais laissons cela. Je me promenai donc seul dans la ville de Palerme, un
livre sous le bras. Quel livre ? Les poèmes
d'Edgar Poe que j'avais achetés huit jours
plus tôt chez Galignani. On trouvera que
j'étais bien prétentieux, mais j'aurais été
stupéfait qu'on me fît un tel reproche, car
j'avais toujours un livre sous le bras.

Après beaucoup d'allées et venues, je me
trouvai enfin dans un lieu enchanté dont le
souvenir ne me quittera jamais. Comme un
homme qui rêve qu'il pénètre dans le paradis terrestre, j'avançai dans le jardin désert
de San Giovanni-degli-Eremiti. Au-dessus de
moi, les coupoles rondes du petit cloître brillaient comme des moitiés d'oranges dans
un ciel d'un bleu ardent, mais il y avait sous
les arbres aux odeurs grisantes une fraîcheur
délicieuse. Je m'assis sur un banc de pierre
et rêvai que j'étais un moine du temps

passé. Tout autour de moi, des fleurs m'entouraient dont les parfums et les couleurs me ravissaient à un tel point que j'aurais, me semblait-il, accepté de mourir là, dans les délices de cette solitude, pourvu que la vie me fût ôtée sans douleurs. Personne ne me voyait. J'étais vraiment seul. J'ouvris mon livre à mon poème de prédilection dont je murmurai les vers dans une sorte d'enivrement :

... of cypress with Psyche my soul...

Dans ces bouffées de bonnes odeurs, j'avais le sentiment d'être transporté au sein d'un monde inconnu où la souffrance n'avait aucune place. Ici, je retrouvai d'une façon étrange la religion dans ce qu'elle avait de plus séduisant pour moi et, je dois le dire, de plus illusoire, car je confondais alors la religion avec une sensualité innocente, mais païenne. Je cherchais le bonheur. Bien loin de moi le souvenir des idoles de bronze autour desquelles je tournais, vingt-quatre heures plus tôt ! J'oubliais alors avec une facililité étonnante ce qui m'avait le plus impérieusement fasciné. A présent je riais de plaisir, tout à cette heure passagère qui me comblait de joie.

Au bout d'un long moment, je cueillis un brin de menthe que je glissai entre les pages de mon livre. J'essayai de me figurer que ce livre était un missel comme en ont les religieux et que j'étais vêtu de bure. A mi-voix, je chantais les hymnes que j'avais entendues dans la chapelle de la rue Cortambert... Mais je ne pouvais rester là. Où qu'on soit, il faut toujours partir, quand on est heureux.

Sur le bateau, je retrouvai les barbares. Ils avaient bu des vins de toutes sortes et parlaient tous ensemble comme des enfants. Les bras chargés de souvenirs, ils se bousculaient dans les couloirs des cabines avec des éclats de rire et des cris de pensionnaires en vacances. « Tu aurais dû venir, me jeta ma cousine. Monreale... » Elle disparut et revint : « Oh, que tu as donc l'air sérieux ! » De nouveau elle fila vers un groupe d'amis qui gloussaient de bonheur en dépliant des écharpes multicolores.

Ce soir-là, je dînai tête à tête avec la dame anglaise. A vrai dire, on ne savait à quelle table me mettre, parce que je n'étais pas ce qu'on appelle *a good mixer,* autrement dit une personne joviale et sociable. J'étais grave et timide, je devais être assommant. A cause de cela sans doute, on trouva indiqué de me faire asseoir à la même table que la nouvelle

passagère. C'était une dame assez mûre qui
me fit songer à Mouser, car malgré la sévérité granitique de son visage, elle aimait ma-
nifestement les fanfreluches, mais ni les
rubans, ni les bijoux dont elle ornait sa
personne n'arrivaient à adoucir ce qu'il y
avait de redoutable dans sa physionomie.
Elle essaya pourtant de se montrer gracieuse
et courtoise et me parla avec ce curieux
mélange de bonté et de froideur que j'ai
connu à tant d'Anglais. Aux questions qu'elle
me posa, je répondis volontiers, non sans
indiscrétion, du reste, car je disais tout. Elle
leva une ou deux fois les sourcils, et comme
nous pelions nos fruits, elle posa tout à coup
son couteau et me dit cette phrase que je
n'ai pas oubliée, parce qu'elle la laissa tomber comme une sorte de condamnation :
« Vous êtes un rêveur et un poète. »

« *You are a dreamer and a poet.* » J'ai
souvent pensé à ces mots en me demandant
si elle entendait me faire un compliment ou
m'infliger un blâme. Je gardai le silence,
mais quelque chose en moi répondit :
« Oui ! »

Nous voguions vers l'Espagne sous un ciel

radieux, et dans cette grande partie de plaisir qu'était notre voyage, je demeurais absent de toutes les petites intrigues amoureuses auxquelles je ne comprenais rien. Il y avait pourtant une demoiselle dont j'eusse volontiers recherché la compagnie, si la chose m'eût été facilitée. Malheureusement, beaucoup de garçons avaient la même idée que moi et j'étais sans cesse évincé. Il s'agissait d'une Miss Lamar, fort jolie personne de la Nouvelle-Orléans et qui, dès le premier jour, m'avait montré de la sympathie. Pour dire toute la vérité, elle devait avoir une bonne dizaine d'années de plus que moi, et pour des raisons qui lui étaient personnelles, elle semblait s'être mis en tête de parfaire mon éducation. Brune, élancée, fort élégante, elle m'indiqua un jour, sur le pont, une chaise longue vide, à côté d'elle. Je m'y étendis sans aucune gêne, pour la simple raison que Miss Lamar était brune et non blonde. Selon mes vues d'alors, la beauté était blonde, et la beauté seule était intimidante. Malgré tout, Miss Lamar avait du charme et sa peau me faisait songer à celle de la lointaine Marcelline que j'avais jadis adorée. Je reçus quelques compliments dont un ou deux me sont restés. Elle me dit, par exemple, que je ne parlais pas comme quelqu'un du Nord, ce qui me flatta. En somme, nous étions un peu pays, elle et moi. J'appris ensuite par sa bouche que si jamais la fantaisie me

venait de m'établir à la Nouvelle-Orléans,
je pourrais parler français du matin au soir
et être compris de bien des personnes
agréables. Ces phrases qu'elle laissait tomber
d'une voix négligente, en regardant au loin
la Méditerranée, trouvaient en moi un écho
et me portaient au rêve. Miss Lamar s'entourait le cou d'une écharpe de tulle dont elle
caressait les plis transparents. Je me trouvais bien près d'elle et pris vite l'habitude de
ces petites visites. Peu à peu elle m'apprivoi-
sait, mais il arrivait toujours un moment
où un garçon plus hardi que moi venait s'asseoir de l'autre côté de la demoiselle, et je
ne sais comment, je cessais tout à coup
d'exister. Des déclarations d'amour étaient
crayonnées en petites capitales sur la carte de
visite qui se trouvait sur sa porte. Je la
soupçonne d'avoir eu un tempérament de
braise. Une après-midi elle eut l'idée bizarre
de m'entreprendre sur la religion et me demanda comment une personne « aussi intelli-
gente que vous » pouvait croire à l'infaillibi-
lité du Pape. Je la regardai comme si elle
m'avait porté un coup bas, puis je répondis
que le cardinal Newman y avait bien cru.
Pourquoi le cardinal Newman ? Mais je ne
connaissais pas d'autre auteur catholique, sauf
Pascal. Elle battit des paupières. Evidemment
elle ne s'attendait pas au cardinal Newman,
et nous en restâmes là.

★

Deux jours plus tard, nous touchions la
côte d'Espagne à la hauteur d'Almeria. Là
encore, nous eûmes le droit d'atterrir et de
nous promener en ville jusqu'au soir. De
nouveau, je m'en allai seul, à l'aventure.
Grimpant au sommet d'une tour, je découvris
sur toute son étendue la ville dont la blancheur m'aveugla. « En Espagne, pensai-je.
Tu es en Espagne. » Mais personne n'avait
jamais entendu parler d'Almeria. Je tentai
de me figurer ce qu'aurait pu être ma vie
en ces lieux, puis le soleil me chassa de cette
tour jusque dans les rues où je me plongeai
dans l'ombre comme dans une eau rafraî-
chissante. J'achetai dans un magasin un tam-
bourin et des castagnettes. Pourquoi ? Il y
en avait de semblables dans la chambre de
ma sœur Eléonore, rue de Passy, jadis.

Regagnant le bateau ce soir-là, je trouvai
mes compagnons exténués par une journée
de tourisme et d'achats beaucoup plus extra-
vagants que les miens. Ils voulaient tous être
espagnols. Le son des castagnettes et des
tambourins sortait de toutes les cabines. Le
rouge et le jaune étaient à l'honneur.

A dîner, j'eus la surprise de m'asseoir à
côté d'un couple de jeunes mariés, natifs
d'Almeria tous les deux, qui se rendaient
aux Etats-Unis pour s'y établir. On les trouvait très beaux et, chacun à sa façon, ils
l'étaient certainement, mais aussi graves
que peuvent l'être les Espagnols. A cause de
cela sans doute, on décida que ce ne devaient
pas être des *good mixers* et on les fit asseoir
à la même table que la dame anglaise et
moi. Ce premier repas ne donna rien de
très brillant. Personne ne dit un mot. Albion
regardait au loin, par-dessus ma tête et je
ne risquais vers mes compagnons que des
coups d'œil furtifs. Avec ses cheveux d'un
noir d'encre et ses grands yeux sombres, le
mari ne me semblait beau que d'une manière
très conventionnelle, mais sa femme était
d'un type beaucoup plus rare et plus délicat. Sous ses paupières à demi-baissées se
voyaient des prunelles d'un bleu qui hésitait
entre le gris et le violet, et son petit visage
se nimbait d'une chevelure d'or pâle. Elle
inclinait la tête avec beaucoup de grâce.
Auprès d'elle, son mari faisait figure de vigoureux bellâtre, carré d'épaules, solide et
sérieux. C'était assurément un homme qu'il
ne fallait pas braver, mais il était poli et,
à la fin du repas, nous fit un salut que je lui
rendis de mon mieux et que l'Anglaise ne
vit même pas. Elle avait l'air indigné d'une
personne que l'on aurait contrainte à dîner

au zoo. Je prévis toute une suite de déjeu-
ners et de dîners funèbres.

★

Miss Lamar se montra curieuse de savoir
comment les choses s'étaient passées avec les
nouveaux venus, et j'eus mon tour de faveur,
le lendemain, auprès d'elle, car elle eut la
bonté d'écarter des admirateurs pour me
garder en sa compagnie. Je ne sais plus
bien ce que je lui dis, pourtant cela me plaisait de la voir sourire, et elle me souriait
beaucoup.

Le moment est venu, je pense, d'avouer
quelque chose qui m'atteignit dans ma vanité
et que j'ai passé sous silence. Alors que nous
traversions la Méditerranée pour aller de
Sicile en Espagne et que je me trouvais un
jour à côté de Mademoiselle Lamar, celle-ci
fit tout haut la remarque que les hommes
avaient de fort grands pieds. Or, étendu sur
une chaise longue, il m'était impossible de
dissimuler les miens qui me parurent tout à
coup immenses, en quoi je me trompais, car
je n'ai pas les pieds plus grands qu'un autre,
me semble-t-il, mais je pris à mon compte
l'appréciation de Miss Lamar et j'en souf-

fris. Aussi mon premier soin, dans la ville
d'Almeria, fut-il de courir les magasins pour
trouver une paire de souliers d'une pointure
inférieure à celle qui m'était habituelle. Je
réussis au-delà de tout espoir et remontai
à bord, ce soir-là, les pieds pris dans de
petits souliers de cuir violine. En marchant
avec précautions et tant soit peu sur la pointe
des pieds, j'arrivais à circuler au prix de souffrances que je gardais pour moi. La nuit, me
déchausser était une sorte de volupté. Le jour
je me promenais sur le pont, la chair broyée
par ce que j'appelais mentalement mes brodequins espagnols, mais il était incontestable
que je paraissais avoir de petits pieds. Un
jour que j'étais assis à côté de Miss Lamar,
elle sourit finement et dit simplement : « *New
shoes.* » (Des souliers neufs.) Et elle ajouta :
« Jolis. » Je la remerciai. « Espagnols », fit-
elle. « Comment avez-vous deviné, Mademoiselle ? » « Oh, la couleur, dit-elle. » « Et la
douleur », ajoutai-je intérieurement. Mais il
y a une joie dans la douleur.

Le soir même, un petit drame se produisit. J'allais et venais quand tout à coup,
ô surprise, je me sentis pour la première fois
à l'aise dans mes souliers. « Ils se font à
mon pied », pensai-je. « C'est normal. Enfin ! » Tout autre chose s'était passé et il ne
me fallut qu'un bref coup d'œil pour m'en
rendre compte. Le beau cuir violine s'était
fendu, comme par indignation, sur toute la

largeur des souliers, de l'orteil au petit doigt.
Je gagnai aussitôt ma cabine et jetai mes
brodequins espagnols par le hublot, dans
l'Atlantique. En cherchant bien, on les y
trouverait peut-être.

★

Pour en revenir aux jeunes mariés d'Almeria, je commençais à m'habituer à eux
et bientôt nous nous mîmes à rire tous les
trois, car ils avaient beau être sérieux, ils
étaient à peine plus âgés que moi et d'une
certaine manière tout aussi enfants. Sous
une façade de gravité qu'ils jugeaient nécessaire, ils cachaient une joie de vivre exu-
bérante qui, je crois, scandalisait la dame
anglaise. Cependant, comme elle était malgré tout humaine, il lui arrivait de sourire,
mais j'avais le tort, à ses yeux, de plaisanter
un peu trop. C'est que je finissais par me
prendre d'amitié pour mes Espagnols et je
voyais bien qu'ils me le rendaient. Or, il y
avait à bord un autre jeune homme avec qui
ils s'étaient liés. Je n'arrive plus à revoir
son visage. Je me souviens que le garçon était
catholique et même un peu excessif de ce
côté-là. Nous avions eu plus d'une conversa-

tion au sujet de l'Eglise et il me soutenait
que les Français n'avaient guère de foi com-
parés aux Espagnols. Il n'y avait qu'à voir,
selon lui, la façon dont les Parisiens suivaient
la messe, avec quelle désinvolture ils entraient et sortaient quand bon leur semblait,
le peu de respect que témoignaient les hommes restant debout pendant la consécration
— et si peu de communions... (cela était vrai
à l'époque) tandis qu'en Espagne... A tout
moment, je le voyais bavarder avec le jeune
couple d'Almeria et un soir que je passais
près d'eux, il leur dit : « Vous devriez montrer à Julien les belles choses que vous
emportez en Amérique, car Julien est fou
des belles choses... » (J'ai retenu cette phrase
un peu sotte.) Une hésitation, car enfin il
s'agissait de me faire pénétrer dans leur
cabine, puis ils consentirent en riant. « Si
vous voulez ! »

J'entrai donc chez les jeunes mariés, non
sans une ombre de gêne, et avec une bonne
grâce charmante, ils ouvrirent leurs valises
pour me faire admirer, je crois, des dentelles
de toutes sortes, après quoi, des phrases
aimables ayant été échangées, je jugeai bon
de me retirer, d'autant plus qu'il se faisait
tard. L'Américain sortit avec moi et sur le
pont me tint des propos que j'aurai du mal
à oublier. « Vous voudriez bien, me dit-il,
vous trouver maintenant caché dans un coin
de leur cabine, pour voir. » « Pour voir ! »

m'écriai-je. « Oh, poursuivit mon compagnon, vous imaginez comme ils doivent s'enlacer, comme il la déshabille... » « Mais ils ne font rien de mal. » « Rien de mal, non, puisqu'ils sont mariés. Ils ont le droit. Mais ce doit être agréable à observer. » Je le regardai avec stupeur. Dans mon esprit, les rapports entre gens mariés étaient rarissimes. D'où me venait cette idée ? Je ne puis le dire, mais je pensais qu'une fois suffisant pour concevoir un être humain, les enlacements dont parlait l'Américain étaient superflus, sinon coupables. Sur ce point, mon ignorance était telle qu'une bonne sœur m'en eût remontré. Ce qui me scandalisa plus que le reste fut que mon compagnon me demanda un peu plus tard si j'allais communier le dimanche suivant. On disait en effet la messe à bord, et je pense que je communiai avec l'Américain en question et les Espagnols, puisque nous étions les seuls catholiques parmi les passagers, mais je n'en trouvai pas moins choquantes ces phrases qu'il avait dites sur les jeunes mariés.

★

Huit ou dix fois par jour, alors que nous étions encore en Méditerranée, tout le monde se précipitait d'un côté ou de l'autre du navire quand on signalait quelque chose de nouveau à l'horizon. En général, ce n'était que la fumée lointaine d'un autre navire, ou alors des dauphins qui jouaient à peu de distance et qu'on admirait avec des cris d'enfants. Pour ma part, j'étais las de tous ces va-et-vient. La pensée qu'à chaque minute je m'éloignais un peu plus de la France m'assombrissait, et je demeurais seul le plus possible. Or, un matin que nous déjeunions, il y eut tout à coup un concert d'exclamations et, dans l'espace de quelques secondes, la salle à manger se vida presque entièrement. « Encore des dauphins », pensai-je, « ou un bateau qui passe. » Et comme cela m'ennuyait de monter, je ne quittai pas ma place et finis tranquillement de déjeuner. Il s'écoula un certain temps, puis, dans un grand brouhaha, tout ce monde redescendit. « Tu l'as vu ? » me demanda ma cousine en passant près de moi. « Quoi donc ? » « Mais le rocher de Gibraltar ! » J'étais passé à côté du rocher de Gibraltar sans le voir. Dans l'état d'esprit où je me trouvais, cela m'était égal.

Vingt ans plus tard, je devais m'arrêter à cet endroit même. C'était en décembre 1939. Je revenais d'Amérique où j'avais fait un séjour de quelques mois, et la guerre me ramenait en Europe. Notre bateau, l'*Excalibur,* fut retenu trois semaines à Gibraltar et je crois qu'il n'existe pas un aspect du rocher

qui ne me soit familier. « Ah, tu n'as pas
voulu apprendre ta leçon en 1919 ? Eh bien,
ce sera pour 1939, et dans des circonstances
beaucoup plus mélancoliques... Ainsi nous
morigène la vie.

Autant la Méditerranée nous avait souri, en
septembre 1919, autant l'Océan nous parut
maussade. Avec cette habitude que j'avais de
voir dans le monde extérieur des images dont
le sens paraissait tantôt clair et tantôt obscur,
je me demandais souvent ce que voulait dire
cette interminable traversée et finis par me
persuader que tout cela prenait la place d'un
voyage dans les régions invisibles, une vaste
et laborieuse transition d'un pays mental à
un autre. On m'arrachait à la terre de mon
enfance. C'était tout dire. Derrière ces milliers de vagues qui semblaient danser de
fureur sous des nuées grises, il y avait sans
doute les contrées austères de l'âge adulte.

Je me souviens qu'à bord se trouvait un
jeune Américain fait comme un échalas, mais
dont la tête était parfaitement régulière et
insignifiante. Il ressemblait à un dieu grec en
casquette. Pourquoi ai-je retenu qu'il lisait
La Terre de Zola ? Je l'ai retenu parce qu'un
après-midi qu'il se tenait appuyé au bastin-
gage avec ce livre à couverture jaune entre
les mains, il m'en lut un passage d'une cru-
dité qui me mit mal à mon aise, et, par un
geste soudain qui me frappa, il lança le
roman dans les flots. « Saletés ! » s'écria-t-il.

★

Quelque chose en moi changeait depuis
peu. Je ne me sentais plus tout à fait la
même personne qu'en partant, et il vint un
jour où, tirant de mon portefeuille les photographies que j'avais achetées à Pompéi,
j'imitai le jeune Américain et les lâchai au-
dessus de l'Atlantique. Sans doute un scru-
pule de conscience me poussait-il à faire ce
geste, mais la vérité est toujours un peu plus
humble qu'on ne le croit, quand on la dit tout
entière : j'avais également peur d'être fouillé
par les douaniers, à New York. Et puis, j'avais
honte d'être un garçon avec de sales images
dans ses poches, parce que cela ne cadrait pas
avec l'idée que je me formais de moi-même,
et la crainte de me séparer de Dieu se faisait
tout à coup plus forte. Les murailles invisibles qui s'étaient élevées autour de moi dans
mon enfance tenaient bon.

Des brumes nous cachaient parfois l'horizon. Il me semblait qu'à mesure que nous
approchions de l'Amérique, tout devenait
plus sévère, l'océan plus noir, la lumière
plus froide, et quelque chose ou quelqu'un
venait au-devant de moi. Etait-ce un pres-
sentiment ? Mais que valent les pressenti-

ments ? Comment pouvais-je deviner qu'une
des crises religieuses les plus violentes de
ma vie entière allait me déchirer dans quelques semaines et que la souffrance m'attendait sous des formes que je n'avais jamais
connues ? Je devenais inquiet, sauvage, et
j'avais l'impression qu'à bord on riait moins,
que les vacances étaient finies, puis il y eut
un matin où, comme dans un mirage, je vis
apparaître au loin une ville sortie des eaux,
d'une blancheur de rêve, pure, nette et glaciale sous un ciel vide de tout nuage, et mon
cœur se mit à battre d'espoir.

LA PRÉSENTE ÉDITION (1er TIRAGE) A ÉTÉ
ACHEVÉE D'IMPRIMER SUR LES PRESSES
DE L'IMPRIMERIE MODERNE, 177, AVENUE
PIERRE-BROSSOLETTE, A MONTROUGE
(SEINE), LE VINGT-NEUF AVRIL MIL NEUF
CENT SOIXANTE-QUATRE.

Dépôt légal : 2e trimestre 1964
N° d'édit. : 1765. — N° d'impr. : 5769.